AUCASSIN ET NICOLETTE

BERTE AUX GRANDS PIEDS

Cet ouvrage a été déposé à la Bibliothèque Nationale
le 4e trimestre 1956

MAURICE TEISSIER

AUCASSIN ET NICOLETTE

Chantefable

BERTE AUX GRANDS PIEDS

de ADENET, le roi des ménestrels

Illustrations J.-J. PHILIPPON

Fernand LANORE, 48, rue d'Assas. PARIS-VIe

Dans la même collection

Jean MAUCLÈRE.	—	DOON DE MAYENCE.
Maurice TEISSIER.	—	CHANSONS DE GESTE.
Maurice TEISSIER et R. NICOLAS.	—	FABLIAUX DU MOYEN AGE.
R. BUSQUET.	—	LE ROMAN DE RENART.
—	—	LES FARCES DU MOYEN AGE.
Jules HASSELMANN.	—	CONTES DU XVIe SIÈCLE.
H. BERTHAUT.	—	LES QUATRE FILS AYMON.
A. CARAYON.	—	LÉGENDES DU ROMANCERO.
M. TEISSIER.	—	GUILLAUME D'ORANGE.
G. BOURDONCLE.	—	LA LEGENDE DES NIBELUNGEN.

TABLE

Pages

AUCASSIN ET NICOLETTE

BERTE AUX GRANDS PIEDS

AVANT-PROPOS

L'auteur d'*Aucassin et Nicolette* termine son roman par une formule très originale, très personnelle : « Ma *Chantefable* prend fin. L'histoire est dite. »

Cette signature facilite la tâche des critiques, qui peuvent ainsi, sans grand effort, donner une définition de la *Chantefable,* un mélange de récits en prose et de vers chantés.

Les récits sont annoncés, dans le manuscrit, par la formule : « Or, on conte et raconte » ; les parties rimées, par la formule : « Or, on chante. »

Les vers chantés, de sept syllabes, se groupent en laisses assonantes, que termine un petit vers de quatre syllabes, dépourvu de rime, à finale toujours féminine. Sa fonction est toute musicale. Il s'agit, en réalité, de terminer la série des vers chantés par la même mélodie.

Gaston Paris, un des meilleurs critiques de la *Chantefable,* a pu constater, dans le manuscrit de la Bibliothèque Nationale, la notation musicale des deux premiers vers de chaque laisse et du petit vers qui la termine. Ces vers étaient chantés, avec l'accompagnement d'une vielle ou grand violon.

L'auteur de la *Chantefable* est inconnu. Est-il d'origine artésienne, ou même né dans la ville d'Arras ? C'est chose possible. Le texte est plein de formes artésiennes ; certains traits des assonances semblent indiquer que ce roman doive rester dans le cadre de la langue d'oïl.

Faut-il, au contraire, donner à l'auteur une origine provençale ? Certainement non. Il est des erreurs historiques ou géographiques qu'il n'eût pas commises, s'il avait traversé, ou à plus forte raison habité, ou la Provence ou le Languedoc. Beaucaire n'a jamais été capitale d'un comté ; la ville est située non sur les bords de la Méditerranée, mais au nord du delta du Rhône. Cette dernière erreur s'explique. Comme tous ses contemporains, l'auteur d'*Aucassin et Nicolette* considérait la grande mer intérieure comme le lien géographique et historique entre le monde occidental, l'Europe féodale et les pays du sud et sud-est, pays de croisades et d'aventures, ne pouvant oublier le heurt de deux civilisations et de deux religions.

L'auteur s'est largement inspiré des romans idylliques ou courtois du XIIe siècle, plus particulièrement de *Flore et Blanchefleur*. C'est toujours le même thème : « Deux grands enfants s'aiment, se séparent, se rejoignent et finissent, après de dures épreuves, par s'épouser. »

La *Chantefable* et le roman auraient, tout le laisse supposer, une origine arabe. Ainsi, le nom d'Aucassin n'est qu'une forme du nom arabe Al Kazin. Nicolette, jeune captive, serait la fille d'un prince barbaresque, souverain de la grande cité de Carthage. Dans les deux romans, les parents s'opposeraient à un mariage, condamné par le monde et la religion.

Si l'on va plus avant dans l'étude de cette période du Moyen Age, la Croisade s'affirme comme le lien entre deux littératures et deux genres littéraires. Elle bat son plein dans la *Chanson de Roland,* notre grand poème national ; elle n'est plus qu'un souvenir dans la *Chantefable,* un de nos meilleurs romans courtois.

Roland et Aucassin représentent deux mondes, deux époques, bien différents.

L'amour compte peu pour notre héros national. Il va mourir. Il donne ses derniers regrets à tout ce qu'il va quitter, sa Douce France, son Empereur, sa Durandal. Il n'a pas le moindre soupir pour la belle Aude, la sœur d'Olivier, sa fiancée, qui devait s'effondrer aux pieds de l'Empereur, en apprenant le désastre de Roncevaux.

Il en est tout autrement dans la *Chantefable*. Il importe peu à Aucassin d'être armé chevalier, d'aller au combat, de remporter une victoire, si son père refuse de lui laisser prendre, pour femme, sa Nicolette, « la douce amie qu'il aime tant ».

Ce conte charmant, où la naïveté, le pittoresque et l'ironie se disputent la première place, met en scène des comtes, des vicomtes, une captive, fille d'un roi de Carthage, mais aussi un bouvier, des pastoureaux, un guetteur, en somme, toute une hiérarchie féodale, du sommet à la base.

La rencontre ou le heurt de tous ces éléments se traduit par des dialogues, vrais chefs-d'œuvre de naturel et de simplicité.

Rien de plus curieux que cette conversation de deux grands enfants, au pied de la tour lézardée du donjon, où est enfermé Aucassin. Entre eux se pose un problème délicat, de solution difficile (ton amour est-il supérieur au mien ?).

Rien de plus charmant que les deux dialogues des pastoureaux, d'abord avec Nicolette, puis avec Aucassin.

En raison de tout ce qu'on découvre dans la *Chantefable,* il y aurait grande injustice à lui refuser une place de premier plan dans la littérature courtoise.

M. T.

AUCASSIN ET NICOLETTE

I

Or, on chante

Qui veut entendre de bons vers,
Sur la joie et la douleur
De deux beaux petits enfants,
Nicolette et Aucassin.
Doux est le chant,
Beau et courtois le conte.
La fable est si douce
Qu'elle guérit et remet en joie
Tout homme, triste, mal en point,
Et malade de grande maladie.

II

Or, on parle et on conte

Le comte Bougar de Valence faisait au comte Garin de Beaucaire une guerre si acharnée et si meurtrière, que tous les jours, au lever du soleil, il était aux portes, aux murailles et aux barrières de la ville avec cent chevaliers et dix mille hommes d'armes, à pied et à cheval, ravageait la terre et tuait les habitants.

Le comte Garin de Beaucaire était vieux et débile. Il avait dépassé son temps. Il n'avait pour héritier qu'un fils, dont je vais vous faire le portrait.

Aucassin était le nom du damoiseau. Il était beau, élégant, grand et bien proportionné ; il avait les cheveux blonds et tout bouclés, les yeux changeants et souriants, le visage clair et allongé, le nez bien fait. Il avait une bonne nature et on ne pouvait trouver en lui que des qualités ; mais il éprouvait si vivement l'amour, qui vient à bout de tout, qu'il ne voulait ni être chevalier, ni prendre les armes, ni aller au tournoi, ni faire rien de tout ce qu'il fallait faire.

Son père et sa mère lui disaient : « Fils, prends donc tes armes, monte à cheval, défends ta terre et aide tes hommes ; s'ils te voient au milieu d'eux, ils défendront mieux leur vie, leurs biens, ta terre et la nôtre.

— Père, répond Aucassin, pourquoi en parlez-vous maintenant ?

— A Dieu ne plaise, quand je serai chevalier, que je monte à cheval pour aller à l'assaut ou à la bataille, et frapper des chevaliers, ou en recevoir des coups, si vous ne me donnez Nicolette, ma douce amie, que j'aime tant.

— Fils, dit le père, cela ne peut se faire. Laissez tranquille Nicolette. C'est une captive qui fut amenée d'une terre étrangère. Le vicomte de cette ville l'a achetée à des Sarrasins. Il l'a tenue sur les fonts, baptisée, et en a fait sa filleule. Il lui donnera, un de ces jours, pour mari, un bachelier, qui lui gagnera son pain honorablement. Ne pense plus à elle. Si tu veux avoir une femme, je te donnerai la fille d'un roi ou d'un comte. Il n'y a si riche seigneur en France dont tu n'aies la fille, si tu veux l'avoir.

— Allons, dit Aucassin, est-il si haute dignité sur terre dont Nicolette, ma très douce amie, ne se montre digne ? Si elle était impératrice de Constantinople, ou d'Allemagne, ou reine de France, ou d'Angleterre, ce titre ne serait rien pour elle, tant elle est noble et courtoise, et de bonne race, et douée de toutes les qualités. »

III

Or, on chante

Aucassin était de Beaucaire, un château de bon séjour.

Personne ne peut le détacher de Nicolette, la bien faite.

Sa mère le sermonne. « Ah ! fou, dis-moi, que veux-tu faire ? Nicolette est gracieuse et gentille. Elle débarqua ici, venant de Carthage, où elle fut achetée par un Saxon. Puisque tu veux te marier, prends une femme de haut parage.

— Mère, je ne puis le faire. Nicolette a le cœur franc. Son corps charmant, son visage gracieux, sa beauté, m'éclairent le cœur ; il est tout naturel que j'aie son amour, elle est si douce ! »

IV

Or, on parle, on conte

Quand le comte Garin de Beaucaire vit qu'il ne pourrait détacher son fils Aucassin de l'amour de Nicolette, il se rendit chez le vicomte de la ville, qui était son vassal, avec l'intention de l'interpeller :

« Sire Vicomte, faites disparaître Nicolette, votre filleule. Maudite soit la terre d'où elle fut amenée en ce pays ! Je ne puis plus me faire obéir d'Aucassin ; il ne veut pas être chevalier, ni rien accomplir de tout ce qu'il me doit ; sachez que, si je puis prendre Nicolette, je la ferai brûler sur un bûcher et, pour vous-même, vous pourriez avoir grand'peur.

— Seigneur, dit le vicomte, je suis fâché d'apprendre qu'Aucassin va la voir et qu'il lui parle. Je voulais la marier à un bachelier, qui eût pu lui gagner honorablement son pain. Mais puisque c'est votre bon plaisir et votre volonté, je l'enverrai dans une seigneurie ou dans une contrée lointaine. Ainsi votre fils ne la reverra plus.

— Prenez garde, dit le comte Garin, grand mal pourrait vous advenir. »

Ils se séparèrent. Le vicomte était un seigneur très riche ; il avait une très belle demeure, au fond d'un jardin. Il y fit enfermer Nicolette, dans une chambre, en haut étage ; avec elle, une vieille dame, pour lui tenir compagnie et partager son existence. On leur donna du pain, de la viande, du vin et tout ce dont elles pourraient avoir besoin. Ensuite il fit mettre les scellés à la porte, en sorte que, nulle part, on ne pouvait entrer ni sortir. Mais il y avait, donnant sur le jardin, une fenêtre, assez petite, d'où il leur venait un peu d'air.

V

Or, on chante

Nicolette est en prison dans une chambre voûtée, meublée avec beaucoup d'art, peinte de façon merveilleuse. Elle s'est appuyée à la fenêtre de marbre ; elle a une chevelure blonde, un visage clair, allongé, des sourcils bien dessinés ; jamais on ne vit si jolie fille. Elle porte ses regards vers le jardin, voit les roses s'épanouir et entend chanter les oiseaux.

« Hélas ! s'écrie-t-elle, malheureuse que je suis ! Pourquoi m'a-t-on mise en prison ? Aucassin, noble damoiseau, je vous aime et vous ne me haïssez pas. C'est à cause de vous, sans le moindre doute, que j'ai été enfermée dans cette chambre voûtée, où je vais passer une misérable existence. Mais, par Dieu, fils de Marie, j'espère bien ne pas y être pour longtemps, si cela ne dépend que de moi. »

VI

Or, on parle et on conte

La rumeur alla, par toute la seigneurie, que Nicolette avait disparu. Les uns déclaraient qu'elle s'était enfuie hors du pays, les autres que le comte Garin de Beaucaire l'avait fait brûler.

Si beaucoup en eurent grande joie, Aucassin, lui, fut loin d'en être heureux. Il s'en vint trouver le vicomte de la ville et le prenant à part :

« Sire Vicomte, qu'avez-vous fait de Nicolette, la personne au monde que j'aimais le plus ? Sachez bien, que si j'en meurs, raison vous en sera demandée et ce sera justice, car on vous accusera de m'avoir tué de vos propres mains.

— Beau sire, fait le vicomte, laissez tout cela. Vous parlez sans raison de Nicolette, vous ne la verrez plus. Mais si, par le plus grand hasard, vous arriviez à la retrouver et à lui adresser la parole, et que votre père le sût, il ferait brûler sur un bûcher, et moi, et la malheureuse jeune fille, et vous-même pourriez avoir, en la circonstance, grand'peur. »

Aucassin se sépare du vicomte, avec moult douleur.

VII

Or, on chante

Il s'en va vers le palais de son père, en monte les degrés, entre dans une chambre et se met à verser des larmes. Il regrette son amie, Nicolette, au beau maintien et bel aller, au beau jeu et beau rire.

Pour vous, je suis si troublé et si maltraité, que je ne crois pas vivre bien longtemps, ma douce amie.

VIII

Or, on parle, on conte

Tandis qu'Aucassin, dans sa chambre, versait des pleurs pour sa chère Nicolette, le comte Bougart de Valence n'oubliait pas qu'il avait à mener une guerre. Il avait mandé ses vassaux à pied et à cheval, pour assaillir le château de son ennemi. A grands cris, l'alerte est donnée ; chevaliers et sergents s'arment et courent vers les portes et les murs pour défendre le château. Les bourgeois montent, vers les chemins de ronde, pour lancer sur l'assaillant des carreaux d'arbalète et des pieux aiguisés.

Au plus fort de la bataille, le comte Garin de Beaucaire vient en la chambre, où Aucassin menait grand deuil pour Nicolette qu'il aimait tant.

« Mon fils, fait-il, comme tu es à plaindre, car tu vois qu'on assaille ton château, le plus fort et le meilleur de toute la région. Sache que, si tu le perds, tu perds tout ton héritage. Mon fils, prends donc tes armes, monte à cheval, défends ta terre, soutiens tes vassaux, va au combat. Quand tes vassaux te verront au milieu d'eux, ils défendront avec plus d'ardeur et leur avoir, et leur corps, ta terre et la mienne.

— Père, fait Aucassin, que dites-vous là ? Que jamais Dieu ne m'accorde ce que je lui demande, si je deviens chevalier, si je monte à cheval, si je vais à la bataille frapper les chevaliers et recevoir leurs coups, avant que vous m'ayez donné ma douce Nicolette, que j'aime tant !

— Mon fils, répond le père, cela ne peut être, je préférerais être dépouillé de tous mes biens que de te voir l'épouser. »

Il s'éloigne et, quand Aucassin le voit partir, il le rappelle :

« Père, je vais vous proposer un marché.

— Lequel, beau fils ?

— Je prendrai les armes, j'irai à la bataille, et, si Dieu me ramène sain et sauf, vous me laisserez voir Nicolette, ma douce amie, le temps de lui dire deux ou trois mots et de l'embrasser une seule fois.

— J'accepte », dit le père.

IX

Or, on chante

Aucassin se réjouit déjà du bonheur qui l'attend au retour. Cent mille marcs d'or fin ne le rendraient si heureux.

Il réclame de riches équipements. On les a déjà préparés. Il revêt un haubert de mailles doubles, lace le heaume sur sa tête, ceint l'épée au pommeau d'or, monte sur un destrier, prend l'écu et la lance. Il regarde ses deux pieds pour savoir s'ils sont bien placés dans les étriers. Il est satisfait.

Tout en pensant à sa Nicolette, il éperonne son destrier qui, obéissant à son maître, s'élance vers la porte, qui s'ouvre sur le lieu de la bataille.

Dieu ! comme il porte, de façon séante, l'écu au col, le heaume sur la tête, l'épée à la hanche gauche. Son cheval va bon train. Le jeune homme le guide bien en passant sous la porte. Mais n'allez pas vous imaginer qu'il songe à prendre des bœufs, des vaches ou des chèvres, ni à frapper des cavaliers ou à parer des coups. Il pense tant et tant à sa douce amie qu'il oublie ses rênes et laisse ainsi son destrier, aller à l'aventure. Le cheval, qui avait senti les éperons, emmène son cavalier au beau milieu des ennemis qui, de toutes parts, portent leurs mains sur le pauvre jeune homme. En un clin d'œil, Aucassin perd son écu, puis sa lance. Les ennemis l'entourent ; il est prisonnier. Et déjà les vainqueurs se demandent entre eux de quelle mort ils vont le faire mourir.

Quand Aucassin revint à lui : « Mon Dieu, sont-ce mes ennemis mortels qui m'emmènent et qui vont me

couper la tête. C'est fini, je ne pourrai plus parler à ma douce amie, Nicolette, que j'aime tant.

« J'ai encore à ma disposition une bonne épée et un bon destrier. Si maintenant je ne me défends pas, pour l'amour d'elle, par Dieu, c'en est fait de notre avenir. »

Le jeune homme était grand et fort, et le cheval qu'il montait était fougueux. Il met l'épée à la main et se met à frapper à droite et à gauche, et coupe heaumes, nasaux, poings, bras, et fait un véritable massacre autour de lui, comme un sanglier assailli par des chiens dans la forêt. Il abat dix chevaliers et en blesse sept. Il se jette vivement hors de la mêlée et s'en revient en arrière, toujours l'épée à la main.

Le comte Bougar de Valence a entendu dire qu'on allait pendre Aucassin, son ennemi. Il venait par là, Aucassin le reconnaît. Avec son épée, il frappe le comte au milieu de son heaume, si fort qu'il le lui enfonce sur la tête. Tout étourdi, le comte tombe à terre. Aucassin le relève et le fait prisonnier. Il le conduit, par le nasal du heaume, jusqu'au château et le remet à son père.

« Père, fait Aucassin, voilà votre ennemi, qui vous a tant guerroyé et vous a fait tant de mal. Il y a déjà vingt ans que cette guerre durait et nul n'avait pu la mener à bonne fin !

— Beau fils, dit le père, vous devez continuer à faire l'essai de votre courage et non à rêver à une folie.

— Père, dit Aucassin, n'allez pas me sermoner, mais tenez plutôt votre parole.

— Bah ! laquelle ? beau fils.

— Allons donc, père, l'avez-vous oubliée ? Il n'y a pas danger que moi, je l'oublie ; cela me tient trop au cœur. Ne m'avez-vous pas accordé, quand j'ai pris les armes et que je suis allé au combat, que si Dieu me ramenait sain et sauf, vous me laisseriez voir Nicolette, ma douce amie, le temps de lui dire deux ou trois paroles et de l'embrasser une fois. Je vous demande de tenir votre parole.

— Moi, dit le père, à Dieu ne plaise. Si elle était ici, je la brûlerais sur un bûcher, et vous-même vous pourriez avoir grande peur.

— Est-ce tout ce que vous avez à me dire ? dit Aucassin.

— Ma foi, oui, répondit le père.

— Vraiment, dit Aucassin, je suis moult dolent, quand un homme de votre âge ment.

— Comte de Valence, je vous ai fait prisonnier.

— Seigneur, je le reconnais, dit le comte.

— Donnez-moi votre main, dit Aucassin ; m'assurez-vous que tout le temps que vous aurez à vivre, vous ferez à mon père toutes les méchancetés possibles.

— Par Dieu, répond Bougar, ne vous moquez pas de moi. Je suis prêt à payer une rançon. Demandez-moi de l'or, de l'argent, des chevaux, des palefrois, des fourrures de petit-gris, je vous les donnerai.

— Reconnaissez-vous que vous êtes mon prisonnier ? dit Aucassin.

— Je le reconnais.

— Par la foi, si vous ne m'accordez pas ce que je vous demande, avec mon épée, je vous fais voler la tête.

— Ah ! par Dieu, je vous promets tout ce qu'il vous plaira d'ordonner. »

Aucassin le fait monter à cheval ; il est lui-même sur son destrier et accompagne son prisonnier jusqu'à ce qu'il soit en sûreté.

XI

Or, on chante

Quand le comte Garin voit qu'il ne pourra jamais détacher son fils Aucassin de Nicolette, au clair visage, il l'enferme dans un caveau souterrain, construit en pierre grise. Quand Aucassin pénètre dans cette prison, il est complètement abattu ; jamais il ne le fut autant. Il laisse couler ses larmes, exhaler ses plaintes :

« Nicolette, fleur de lys, douce amie, au clair visage, vous êtes plus douce qu'un grain de raisin ou qu'un hanap de vin parfumé.

« Pour vous, je suis en prison, dans un caveau souterrain, où je mène triste existence. Il me faudra y mourir pour vous, ma douce amie. »

XII

Or, on parle, on conte

Aucassin était en prison et Nicolette dans sa chambre.

C'était au temps d'été, au mois de mai, où les jours sont chauds, longs et clairs, les nuits calmes et sereines. Nicolette, couchée une nuit en son lit, vit la lune luire par sa fenêtre et entendit le rossignol chanter dans les arbres de son jardin.

A ce moment, elle pensait à Aucassin, qu'elle aimait tant. Mais elle ne pouvait oublier le comte Garin de Beaucaire, qui lui valait mal de mort. Elle ne veut plus rester dans la petite chambre, une prison, car si on la dénonce au comte, on la fera mourir de male mort.

Elle remarqua que la vieille, chargée de la surveiller, dormait. Brusquement, elle se lève, revêt une tunique de soie de bonne qualité, prend des draps de lit et des serviettes, les noue ensemble et en fait une corde. Elle l'attache au pilier de la fenêtre et se laisse glisser jusque dans le jardin.

Nicolette avait les cheveux blonds et tout bouclés, les yeux charmants et rieurs, le visage allongé, le nez grand et bien fait, les lèvres vermeilles plus que n'est cerise ou rose en saison d'été, les dents blanches et menues. Les fleurs des marguerites, que ses pieds foulaient en marchant, étaient toutes noires auprès de ses pieds et de ses jambes, tant était blanche sa peau.

Nicolette arrive à la petite porte du jardin, l'ouvre et avance, dans les rues de Beaucaire, cherchant l'ombre, car la lune luisait avec grande clarté.

Après avoir longtemps erré à travers la ville, elle arrive au pied de la tour, qui servait de prison à son ami Aucassin. La tour était lézardée, de place en place. Elle se blottit à côté d'un pilier, s'enveloppe de son manteau, met sa tête dans une fente de la vieille tour et entend Aucassin pleurer comme un enfant, parce qu'il ne cesse de penser à sa douce amie qu'il aime tant.

Et, quand elle a assez écouté, elle se met à parler.

XIII

Or, on chante

« Aucassin, noble baron, franc damoiseau honoré, à quoi bon vous lamenter jour et nuit, puisque vous ne m'aurez plus, car votre père et toute votre parenté me haïssent. Ami, je veux passer la mer et j'irai me fixer dans un autre royaume. »

Elle coupe une mèche de cheveux et la jette dans le caveau souterrain. Aucassin se précipite pour la ramasser et la porter à ses lèvres, puis sur son cœur, puis se remet à verser des larmes pour son amie.

XIV

Or, on parle et on conte

Quand Aucassin entendit Nicolette annoncer son départ pour une terre étrangère, il en eut grand courroux.

« Belle douce amie, vous ne partirez pas, car ce serait me tuer.

— Ah ! fait-elle, je ne crois pas que vous m'aimiez autant que vous le dites, mais moi, je vous aime plus que vous ne m'aimez.

— Oh ! fait Aucassin, belle douce amie, il n'est pas possible que vous m'aimiez autant que je vous aime. Femme ne peut aimer homme autant que homme aime femme. »

Tandis qu'Aucassin et Nicolette discutaient ensemble, les veilleurs de la ville venaient le long d'une rue, tenant des épées nues sous leurs capes, car le comte Garin leur avait donné l'ordre de tuer Nicolette, s'ils réussissaient à la prendre.

Du haut de la tour, un guetteur les vit venir. « Dieu, fit-il à haute voix, quelle perte s'ils venaient à tuer une si belle fillette. Ce serait un bien grand service, si je pouvais dire une chose qu'eux ne pourraient comprendre. Car s'ils tuent Nicolette, son damoiseau en mourra, et ce sera grand dommage.

XV

Or, on chante

Le guetteur était moult vaillant, preux, courtois et avisé.

Il commence une chanson, moult belle et avenante.

« Jeune fillette au cœur franc, tu as le corps gentil et gracieux, les cheveux blonds et brillants, les yeux pers, le visage riant, je le vois bien à ta mine ; tu as parlé à ton ami, qui va se mourant pour toi. Je te le dis et tu le comprendras, garde-toi des soudards qui vont te cherchant par ici, ayant sous leurs capes des épées nues ; bientôt ils te feront du mal, si tu ne te gardes d'eux. »

XVI

Or, on parle et on conte

« Ah ! fait Nicolette au guetteur, que l'âme de ton père et de ta mère soit en repos bienheureux, puisque tu m'as prévenue gentiment, si courtoisement, du malheur qui me menaçait. S'il plaît à Dieu, je me garderai bien. »

Enveloppée de son manteau, elle se blottit dans l'ombre du pilier jusqu'à ce que les soudards aient disparu ; puis elle prend congé d'Aucassin et s'avance jusqu'aux remparts du château.

Le mur, très ancien, menaçait ruine. Nicolette arrive péniblement dans une brèche, aveuglée par des fascines. Elle franchit l'échafaudage et réussit à atteindre un fossé très profond et très escarpé. Mais comment le franchir ? Elle a grand'peur.

« Ah ! Dieu, venez à mon aide. Si je me laisse choir dans le fossé, je me brise le cou. Demain, on me trouvera au fond, sans mouvement ; on me prendra pour me transporter sur un bûcher. J'aime encore mieux mourir ici que d'être exposée aux regards de tout un peuple ! »

Elle se signe et se laisse glisser au fond du fossé. Ses beaux pieds et ses belles mains, qui n'avaient jamais eu la moindre blessure, furent meurtris et écorchés. Le sang en sortit en plus de douze endroits. Et pourtant, à cause de la grande frayeur qu'elle avait éprouvée, elle ne ressentit ni mal, ni douleur ; mais elle eut plus de peine pour sortir du fossé.

Avec un pieu aiguisé qu'un habitant de la ville avait jeté pour défendre le château, elle réussit, au prix de grands efforts, à atteindre le sommet.

Une forêt était toute proche, à deux portées d'arbalète. Elle avait bien trente lieues de long et de large ; elle renfermait des bêtes sauvages et des serpents.

Elle hésite avant d'y pénétrer. Mais la pensée lui revient toujours que, si on la trouve là, on la ramènera dans la ville, pour la faire mourir sur un bûcher.

XVII

Or, on chante

Nicolette, au clair visage, est remontée du fond du fossé.

Elle se prend à gémir et à implorer Jésus :

« Mon Dieu, Roi de Majesté ! Venez à mon aide. Je ne sais plus où diriger mes pas. Si je vais au bois touffu, je serai mangée ou par des loups, ou par des lions, ou par des sangliers, dont il y a ici foison. Par contre, si j'attends la clarté du jour et si on me découvre, on allumera le feu, où mon corps sera brûlé. J'aime mieux encore être dévorée par les bêtes sauvages de la forêt. Je n'irai pas dans la cité. »

XVIII

Or, on parle et on conte

Nicolette, tout en se lamentant, se recommande à Dieu avant de pénétrer dans la forêt. A cause des bêtes sauvages et des serpents, elle décide de se blottir en un épais buisson. Le sommeil l'envahit et elle dort jusqu'au lendemain, à haute prime.

A cette heure, les pastoureaux sortirent de la ville et amenèrent leurs bêtes entre le bois et la rivière. Ils se groupèrent près d'une moult belle fontaine, qui était à la lisière de la forêt. Ils étendirent une cape et mirent leur pain dessus. Tandis qu'ils mangeaient, Nicolette s'éveille aux cris des oiseaux et des pastoureaux.

S'approchant des pastoureaux : « Beaux enfants, dit-elle, que Dieu soit avec vous !

— Dieu vous bénisse ! fait celui qui avait la parole plus facile que les autres.

— Connaissez-vous Aucassin, le fils du comte Garin de Beaucaire ?

— Oui, nous le connaissons bien.

— Au nom de Dieu, beaux enfants, dites-lui que dans le bois il y a une bête et qu'il vienne la chasser et, s'il peut la prendre, il n'en donnerait pas un membre pour cent marcs d'or, ni pour cinq cents, ni pour aucun prix. » Ils regardèrent la jeune fille et la virent si belle qu'ils en furent tout interdits.

« Que je lui dise, fait alors le meilleur en paroles. Malheur à qui en parlera ! C'est de rêverie que vous parlez, il n'y a pas de bête en cette forêt, cerf, lion ou sanglier, dont un des membres vaille plus de deux deniers ou de trois au plus, et vous parlez de plus grands prix. Malheur à qui vous croira ou se chargera de l'avertir. Vous êtes une fée, nous ne voulons pas de votre compagnie. Passez votre chemin.

— Ha, beaux enfants, dit-elle, vous le ferez. La bête possède une vertu, qui guérira Aucassin de son mal.

J'ai cinq sols dans ma bourse et faites la commission. Il faut, d'ici trois jours, qu'il vienne ici chasser. S'il ne la trouve pas, il ne guérira jamais de son mal.

— Par ma foi, fait le beau parleur, nous prendrons les deniers. S'il vient par ici, nous le lui dirons, mais nous n'irons pas le quérir.

— A la bonne heure », dit-elle.

Alors elle prend congé des pastoureaux et s'en va à travers la forêt.

XIX

Or, on chante

Elle s'enfonce dans le bois touffu en suivant un vieux sentier ; elle arrive ainsi à une route, où se croisent les sept chemins qui s'en vont par le pays.

Il lui vient à l'idée d'éprouver son ami et de voir s'il l'aime autant qu'il l'affirme.

Elle prend autour d'elle des fleurs de lis, des herbes de la garrigue et aussi de la feuillée. Elle construit avec tout cela une loge. Jamais, on n'en vit d'aussi bien faite ! Elle jure, par le Dieu qui ne mentit jamais, que si Aucassin vient par là et que s'il ne s'arrête pas un instant pour se reposer, jamais plus il ne sera son ami, et elle, son amie.

XX

Or, on parle et on conte

Nicolette a construit sa loge, bien belle et bien gentille. Elle l'a bien garnie de feuilles et de fleurs. Elle se repose tout près, dans un épais buisson, pour savoir ce que fera Aucassin.

JGPh

Le bruit se répandit dans tout le pays que Nicolette avait disparu. Les uns affirment qu'elle s'est enfuie, d'autres que le comte Garin l'a envoyée au bûcher.

Aucassin se désole. Le comte Garin, son père, le fait sortir de prison. Il organise une moult belle fête pour les chevaliers, les dames et demoiselles de sa terre, avec l'espoir de divertir son pauvre fils.

Tandis que la fête battait son plein, Aucassin, plein de tristesse, restait rêveur, appuyé à une balustrade. Il n'avait nulle envie de prendre part à la joie ou à l'entrain de tous ; sa douce amie n'était pas là.

Un chevalier l'aperçut, vint à lui, et, le prenant à part :

« Aucassin, dit-il, j'ai été malade de la même maladie que vous. Je vais vous donner un bon conseil, si vous avez confiance en moi.

— Seigneur, grand merci, un bon conseil me serait précieux.

— Montez à cheval et allez tout au long de cette forêt vous distraire, vous verrez des herbes et des fleurs, vous entendrez des oiseaux chanter. Par aventure, vous entendrez belles paroles dont vous vous trouverez mieux.

— Seigneur, dit Aucassin, grand merci. Je le ferai. »

Il quitte brusquement la salle, descend les degrés, va à l'écurie, fait seller son cheval, met le pied à l'étrier, monte son destrier et quitte le château.

Il se dirigea vers la forêt et, plus particulièrement, vers la fontaine. Il y trouva les pastoureaux à l'heure où sonnait nonne. Ils avaient étendu une cape sur l'herbe et mangeaient leur pain. Ils étaient très gais.

XXI

Or, on chante

Les pastoureaux Esmeret et Martinet, Fruelin et Johannet, Robeçon et Aubriet, sont ensemble.

L'un d'entre eux prend la parole : « Que Dieu protège Aucassin, le beau damoiseau, et Nicolette, la fille au beau corps, à la chevelure blonde, au clair visage, aux yeux pers. Elle nous a donné des deniers, avec lesquels nous achèterons gâteaux, gaines et couteaux, flûtes et cornets, massues et pipeaux. Que Dieu la sauve ! »

XXII

Or, on parle et on conte

Aucassin entend les pastoureaux prononcer le nom de Nicolette, sa très douce amie, qu'il aimait tant, et se dit qu'elle est passée par là. Il éperonne son cheval et arrive auprès des pastoureaux.

« Beaux enfants, Dieu vous aide !

— Dieu vous bénisse, dit le meilleur en paroles !

— Redites la chanson que vous disiez il y a un instant !

— Nous ne la redirons pas. Au diable, celui qui la chantera pour vous, beau sire !

— Beaux enfants, ne me connaissez-vous pas ?

— Oui, nous savons bien que vous êtes Aucassin, notre damoiseau, mais remarquez que nous ne sommes pas à votre service, mais à celui de votre père.

— Beaux enfants, faites-le, je vous en prie.

— Non, corbleu ! répond celui qui parlait au nom de tous. Pourquoi chanterais-je pour vous, si cela ne me plaît pas ? Y a-t-il homme si riche en ce pays, à part le comte Garin, qui, s'il trouvait mes bœufs, mes vaches ou mes brebis en ses prés ou dans ses blés, oserait les chasser, dût-il en perdre les yeux ?

— Au nom de Dieu, beaux enfants, faites-le. Tenez, voici dix sols que j'ai ici en ma bourse.

— Seigneur, nous prendrons les deniers, mais je ne chanterai pas ce que vous désirez, car je l'ai juré, mais je vous le conterai, si vous voulez.

— De par Dieu, dit Aucassin, j'aime encore mieux le récit que rien.

— Sire, nous étions tantôt ici entre prime et tierce et mangions notre pain près de cette fontaine, comme maintenant. Une jeune fille vint ici, la plus belle créature du monde, si bien que nous crûmes que c'était une fée ; ce bois en fut illuminé. Elle nous donna tant de deniers que nous lui avons promis que, si vous veniez ici, nous vous dirions d'aller chasser en cette forêt, où il y a une bête. Il paraît que si vous pouvez la prendre, vous n'en donnerez jamais un de ses membres pour cinq cents marcs d'argent ni pour aucune richesse ; car la bête a une vertu telle que si vous arrivez à la prendre, vous serez guéri de votre mal.

Il faut que d'ici trois jours vous l'ayez prise ; sinon, jamais vous ne la verrez. Maintenant, emmenez-la ou laissez-la, car je me suis bien acquitté envers la jeune fille.

— Beaux enfants, dit Aucassin, vous m'en avez assez dit et que Dieu me la fasse trouver ! »

XXIII

Or, on chante

Aucassin a compris le sens des paroles de son amie, au corps gracieux. Elles lui sont entrées moult dans le

cœur. Il s'éloigne bien vite des pastoureaux et s'enfonce dans la forêt. Son destrier va un amble rapide et l'emporte bientôt au galop.

Aucassin parle tout haut : « Nicolette au corps gracieux, pour vous, je suis venu dans le bois. Je ne chasse ni cerf, ni sanglier, mais je suis votre trace. Vos yeux pers, votre corps charmant, votre beau rire et votre douce voix ont navré mon cœur à mort. S'il plaît à Dieu, le Père tout-puissant, je vous verrai encore, ma douce amie.

XXIV

Or, on parle et on conte

Aucassin va à travers la forêt, de voie en voie, et son destrier l'emporte à toute allure. Ne croyez pas que les ronces et les épines l'épargnent. Nenni, elles lui déchirent ses vêtements, au point qu'on aurait du mal pour en renouer les plus grandes pièces. Le sang lui sort des bras, des côtes et des jambes, en trente ou quarante endroits, et que, derrière le jeune damoiseau, on peut suivre la trace du sang qui coule sur l'herbe. Il pense tant à sa Nicolette, sa douce amie, qu'il ne ressent ni mal, ni douleur. Il va tout un jour à travers la forêt sans entendre parler d'elle. Quand la nuit approche, il se met à verser des larmes.

Tout en chevauchant le long d'une vieille voie herbeuse, il voit se dresser devant lui un jeune homme de grande taille et d'une laideur extraordinaire. Il était vêtu d'une hure plus noire qu'une charbonnée. Une large main eût tenu difficilement entre ses deux yeux. Il avait de grandes joues, un nez tout en largeur, de grosses lèvres plus rouges qu'une escarboucle, de grosses dents jaunes et laides. Il était chaussé de houseaux et de souliers en cuir de bœuf, maintenus par des cordes en écorce de tilleul, nouées au-dessus du genou. Il était affublé d'une cape à deux revers. Il s'appuyait sur une grande massue.

Aucassin se trouva face à face avec lui et eut grand' peur.

« Beau frère, Dieu t'aide !

— Dieu vous bénisse, fait celui-ci.

— Par Dieu, que fais-tu ici ?

— Que vous importe ?

— Je vous le demande sans mauvaise intention. Mais pourquoi pleurez-vous ?

Certes, si j'étais aussi riche que vous, rien au monde ne me ferait pleurer.

— Me connaissez-vous donc ?

— Oui, je sais que vous êtes Aucassin, le fils du Comte, et si vous dites pourquoi vous versez des larmes, je vous dirai ce que je fais ici.

— Certes, je vous le dirai, moult volontiers : je vins, ce matin, chasser dans cette forêt ; j'avais un lévrier blanc, le plus beau du monde. Je l'ai perdu, voilà pourquoi je pleure.

— Vrai ! par le cœur de Notre-Seigneur, pouvez-vous pleurer pour un chien puant ? Maudit soit celui qui vous estimera désormais, puisqu'il n'y a si riche homme en ce pays qui ne donnerait dix, quinze ou vingt lévriers à votre père, s'il le désirait. C'est plutôt à moi de pleurer.

— Et de quoi, frère ?

— Sire, je vais vous le dire. J'étais loué à un riche vilain ; je conduisais sa charrue attelée de quatre bœufs. Or, il y a trois jours, il m'arriva une triste mésaventure. Je perdis un de nos bœufs, Rouget, le meilleur de ma charrue, et je le vais cherchant à travers la forêt. Je n'ai ni mangé ni bu depuis trois jours. Je n'ose aller à la ville parce qu'on me mettrait en prison. Je n'ai pas de quoi le payer ; il ne me reste que ce que vous voyez sur mon corps. Ma pauvre mère n'avait, pour toute fortune, qu'un petit matelas ; on le lui a retiré de dessous le dos. Elle gît, en ce moment, sur la paille. Son sort me tourmente plus que le mien, car les biens vont et viennent. Si j'ai perdu aujourd'hui, demain je pourrai gagner pour payer mon bœuf. Je ne pleurerai pas pour cela. Mais vous versez des larmes pour un sale chien. Maudit celui qui vous estimera !

— Certes, tu es de bon réconfort, beau frère, béni sois-tu ! Combien valait ton bœuf ?

— Sire, on m'en demande vingt sols. Je ne puis en rabattre une seule maille.

— Tiens, fait Aucassin, en voici vingt que j'ai ici dans ma bourse et paie ton bœuf.

— Sire, grand merci, et Dieu vous fasse trouver ce que vous cherchez. »

Il se sépare de lui. Aucassin chevauche à travers la forêt. La nuit était belle et calme. Il erra jusqu'au carrefour des sept chemins. Il vit, à deux pas de lui, la hutte de Nicolette, qui était tapissée de feuilles et de fleurs. C'était la plus belle que l'on pût voir. Quand Aucassin l'aperçut, il s'arrêta brusquement. Un rayon de lune éclairait, de sa douce clarté, ce coin de forêt.

« Ah ! Dieu, fit Aucassin, Nicolette, ma tendre amie, est venue ici et c'est elle qui a fait cette belle hutte de ses jolies mains.

« Pour sa douceur et pour l'amour qu'elle m'inspire, je reposerai, cette nuit, dans ce délicieux coin de forêt. »

Tout à son rêve, il mit son pied hors de l'étrier pour descendre de cheval et ce fut la chute. Il tomba durement, cruellement, sur une pierre, et se démit l'épaule. Moult blessé, il s'efforça de se traîner du mieux qu'il put et réussit à attacher son cheval à un buisson. Il parvint bien péniblement à se coucher sur le dos, dans la hutte. A travers les branches, un coin du ciel où brillaient, nombreuses, les étoiles, retint son attention. Il crut voir une étoile plus brillante que les autres et lui parla.

XXV

Or, on chante

« Estelette, je te vois ; la lune t'attire à elle ; que Nicolette aux cheveux blonds, mon amie, soit avec toi. Je pense que Dieu veut l'avoir près de lui pour que la lumière de cette nuit soit, par elle, rendue plus éclatante.

« Mon amie, écoute-moi. Ah ! si je pouvais être avec toi, là-haut, dussé-je retomber ensuite, je te tiendrais dans mes bras. Même si j'étais fils de roi, tu serais encore digne de moi, ma douce amie. »

XXVI

Or, on parle et on conte

Nicolette, qui n'était pas loin, entendit Aucassin et vint à lui. Elle entre dans la loge et lui met ses bras autour du cou.

« Beau doux ami, soyez le bien trouvé !

— Et vous, belle douce amie, soyez la bienvenue ! J'étais tout à l'heure bien blessé à l'épaule, mais, maintenant, je ne sens ni mal ni douleur, puisque je vous ai. »

Nicolette lui tâta l'épaule et sentit qu'elle était démise ; elle la massa de ses blanches mains et, avec l'aide de Dieu, l'épaule se remboîta. Puis elle fit un pansement de fleurs, d'herbe fraîche, de feuilles vertes et les attacha avec un pan de son manteau. Aucassin fut complètement soulagé.

« Aucassin, dit-elle, beau doux ami, réfléchissez à ce que vous allez faire : si votre père fait fouiller demain cette forêt et qu'on me trouve, quoi qu'il advienne de vous, on me tuera.

— Ah ! douce amie, je ne pourrais le supporter, je vais agir pour qu'ils ne vous tiennent jamais. »

Il monte sur son cheval, installe son amie devant lui et les voilà à travers champs, partis pour une région lointaine.

XXVII

Or, on chante

Aucassin, le beau, le blond, le gentil damoiseau, a quitté le bois profond. Il a devant lui, entre ses bras, sur son arçon, sa douce amie, qui le questionne.

« Aucassin, vers quelle terre allons-nous ?

— Douce amie, je l'ignore ; mais, ou à travers champs, ou à travers bois, peu importe, pourvu que je sois avec vous. »

Ils passent les vaux et les monts, et les bourgs et les villes. Un jour, ils arrivent en bordure de la mer, descendent sur une plage de sable.

XXVIII

Or, on parle et on conte

Aucassin tient son cheval par les rênes et son amie par la main, et ils se mettent à marcher le long du rivage.

Aucassin vit passer une nef et aperçut des marchands, qui cinglaient vers la côte. Il les héla. Ils vinrent à lui et lui firent signe de monter à bord, avec sa compagne et... son cheval.

Ils furent bientôt en haute mer. Mais une violente tempête les mena rapidement dans un pays étranger, qui appartenait au roi de Turelure.

Ils entrent dans le port et demandent aux habitants :

« Quel homme est-ce votre roi ? Est-il en paix ou en guerre ?

— Il est en guerre, une drôle de guerre. »

Aucassin est à cheval, son amie devant lui, l'épée à la main. Il chevauche jusqu'au lieu du combat.

Les adversaires se jettent à la tête des pommes blettes, des œufs, des fromages frais. Aucassin les regarde, ébahi. Il vient trouver le roi et l'interpelle :

« Sire, sont-ce vos ennemis ?

— Oui, dit le roi.

— Et voudriez-vous me voir vous en débarrasser ?

— Oui, très volontiers. »

Aucassin met l'épée à la main, se lance au milieu du combat, se met à frapper à droite et à gauche. Il y a sur le sol moult blessés ou morts.

Le roi, qui assiste à ce massacre, saisit le cheval d'Aucassin et dit :

« Ah ! beau sire, ne les tuez pas tous !

— Comment, dit Aucassin, voulez-vous que je traite vos ennemis ?

— Dans mon royaume, répond le roi, il n'est pas coutume de nous entretuer. »

Les ennemis tournent bride et s'enfuient ; le roi et Aucassin rentrent au château de Turelure.

Les gens du pays demandent au roi de chasser Aucassin et de retenir Nicolette pour la donner à son fils, car elle paraît de haut lignage. Nicolette entend ce propos et n'est pas disposée à s'en réjouir.

Pour Aucassin, le séjour au château de Turelure était très agréable, parce qu'il y vivait en compagnie de Nicolette, sa douce amie. Mais ce bonheur fut de courte durée.

Un jour, une flotte débarqua sur le rivage de Turelure, une puissante armée sarrasine, qui attaqua le château et le prit d'assaut.

Les Sarrasins saccagèrent le pays et emmenèrent de nombreux captifs et captives. Ils jetèrent Aucassin, pieds et poings liés, dans le fond d'un navire. Sur un autre bateau, Nicolette, captive, fut traitée avec moins de brutalité.

A quelques heures du départ, une tempête s'éleva sur la mer et sépara les deux navires.

Le navire, qui avait Aucassin à son bord, dériva tellement, qu'il vint s'échouer près du château de Beaucaire ; les gens du pays accoururent pour se disputer les épaves. Ils trouvèrent Aucassin, pieds et poings liés, et le reconnurent. Ils eurent grande joie à revoir leur damoiseau, qui avait vécu plus de trois années au château de Turelure. Les père et mère d'Aucassin n'étaient plus là, sans doute morts de chagrin, après la fuite de leur fils. Les habitants de la région conduisirent leur nouveau comte au château. Tous se déclarèrent ses hommes.

XXIX

Or, on chante

Aucassin est revenu dans sa cité de Beaucaire et possède et la terre et la seigneurie.

Il prend à témoin le Dieu de Majesté, qu'il a bien plus de douleur pour Nicolette, au clair visage, que pour toute sa parenté.

Douce amie, au clair visage, je ne sais où aller pour vous retrouver.

XXX

Or, on parle et on conte

Nous laisserons, pour un temps, Aucassin et ne parlerons que de Nicolette.

Le navire qui l'avait à son bord appartenait au roi de Carthage, son père, qui avait douze frères, tous princes ou rois. Quand ils virent Nicolette si belle, ils lui portèrent grand respect, lui firent fête et lui demandèrent qui elle était, car elle paraissait très noble dame et de haut parage. Mais elle ne sut d'abord que leur répondre qu'elle avait été captive toute jeune, cependant assez grande pour se souvenir qu'elle était fille du roi de Carthage et qu'elle avait été nourrie dans cette cité.

XXXI

Or, on chante

Nicolette, la noble et sage créature, regarde les murailles et les habitations, les palais et leurs salles. Alors elle s'écrie avec grande tristesse :

« Ce n'est pas la peine d'être de haut parage, fille du roi de Carthage et cousine de l'émir ; je suis dans les mains de véritables Barbares. Aucassin, noble damoiseau, votre doux amour me presse ! Que Dieu m'accorde la grâce de vous tenir, un jour, dans mes bras ! »

XXXII

Or, on parle et on conte

Quand le roi de Carthage eut entendu les paroles de Nicolette, il lui jeta ses bras autour du cou.

« Belle et douce amie, dites-moi qui vous êtes. N'ayez pas la moindre crainte.

— Sire, dit-elle, je suis la fille du roi de Carthage ; je fus enlevée, enfant, il y a bien quinze années. »

Quand les autres l'entendirent ainsi parler, ils eurent l'impression qu'elle disait vrai et lui firent moult grande fête. Ils la conduisirent au palais, aves tous honneurs, comme une fille de roi. Ils voulurent lui donner, pour époux, un roi de païens, mais elle se refusa à un tel mariage. Elle resta là trois ou quatre jours. Mais elle cherchait toujours le moyen de retrouver Aucassin.

Ayant découvert une vielle, elle s'apprend à vieller.

Elle quitte le palais pendant la nuit, arrive au port et se réfugie chez une pauvre femme sur le rivage. Elle prend une herbe et s'en frotte la tête et le visage, si bien qu'elle devient toute noire, puis se fait acheter cotte, manteau, chemise et culotte, et peut ainsi se déguiser en jongleur.

Elle prend à la main sa vielle, s'approche d'un marinier et le supplie de l'admettre sur son navire. Marinier et jongleur tendent les voiles : ils vont ainsi, à belle allure, à travers la grande mer intérieure, et arrivent après de longs jours sur les côtes de Provence.

Nicolette débarque, tout en viellant et chantant ; elle arrive au pied du donjon de Beaucaire. Enfin, elle allait à nouveau retrouver son Aucassin.

XXXIII

Or, on chante

Aucassin était dans sa tour. Assis sur le perron, il groupe autour de lui ses nobles barons. Le jeune comte et ses compagnons peuvent respirer l'air de la campagne et entendre le chant des oiseaux. Il a souvenance de sa douce Nicolette ! c'est pour cela qu'il soupire et verse des larmes.

Nicolette surgit brusquement devant le perron, prend sa vielle et son archet.

Tout en chantant, elle livre sa pensée la plus intime.

« Ecoutez-moi, nobles barons placés du haut en bas des degrés. Vous plairait-il d'entendre une chanson qui parle d'Aucassin et de Nicolette ? Leur amour était si grand, qu'Aucassin alla retrouver sa douce amie dans un bois profond. A Turelure, en un donjon, les Sarrasins les ont faits prisonniers. Nous ne savons rien d'Aucassin, mais, par contre, Nicolette est dans le château de Carthage. Son père, roi de cette ville, l'aime beaucoup. Il veut lui donner pour époux un roi païen. Nicolette résiste, parce qu'elle ne peut oublier un damoiseau, qui a nom Aucassin. »

XXXIV

Or, on parle et on conte

Quand Aucassin entendit ces paroles, il fut au comble de la joie. Il tira à part le jongleur et lui demanda :

« Beau doux ami, savez-vous quelque chose de cette Nicolette dont, il y a un instant, vous parliez dans votre chanson ?

— Sire, oui, je la tiens pour la plus noble, la plus gentille et la plus sage qui soit au monde. C'est la fille du roi de Carthage. On la fit prisonnière le même jour qu'Aucassin. A toute heure, on la harcèle pour lui faire épouser un des plus grands rois de toute l'Espagne, mais elle se laisserait plutôt pendre ou brûler que d'y consentir.

— Ah ! beau doux ami, dit le comte Aucassin, si vous vouliez retourner en cette terre pour demander à Nico-

lette de venir me parler, je vous donnreais de mon avoir et de mes biens, autant que vous oseriez en demander ou en prendre. Je l'aime toujours tellement que je ne veux pas prendre pour femme une princesse, de si haut rang soit-elle ; je préfère l'attendre. Si je savais où la découvrir, je partirais, sur l'heure, à sa recherche.

— Sire, j'accepte d'aller moi-même la chercher pour vous être agréable et aussi parce que je l'aime beaucoup. »

Aucassin lui renouvelle sa promesse d'une forte

récompense et lui fait remettre pour le voyage une somme de vingt livres.

Au moment de prendre congé, Nicolette s'aperçoit que le jeune comte verse des larmes.

« Sire, dit-elle, ne vous troublez pas, je vous l'amènerai bientôt. »

Après l'avoir quitté, elle se rend chez la vicomtesse, car le vicomte, son parrain, était mort ; elle se fait reconnaître d'elle et lui conte toutes ses aventures. La vicomtesse la fait laver et baigner. Au bout de huit jours, Nicolettre prit une herbe appelée « éclaire » et s'en frotta le visage. Elle retrouva son teint naturel et se revêtit de riches draps de soie. S'étant assise dans sa chambre, sur un coussin de soie brodée, elle demanda à la dame de se rendre au château et de la ramener à Aucassin, son doux ami.

La vicomtesse, en arrivant au château, trouva Aucassin en larmes, parce que Nicolette tardait trop à venir.

« Aucassin, lui dit-elle, ne vous désolez plus. Venez avec moi et je vous montrerai ce que vous avez de plus cher au monde. Nicolette, votre douce amie, est revenue de terres lointaines pour vous retrouver. »

XXXV

Or, on chante

A ces mots, Aucassin ne se tient plus de joie. La vicomtesse et le jeune homme arrivent à l'hôtel et entrent dans la chambre où Nicolette est assise. Quand elle voit son doux ami, d'un bond, elle se dresse et court vers lui. Aucassin lui tend les bras et lui baise les yeux et le visage.

Ils se séparent le soir ; mais, le lendemain, dans une église, ce sont les épousailles. Nicolette devient dame de Beaucaire.

Désormais, ils connurent, et pour longtemps, des jours heureux.

Aucassin et Nicolette avaient conquis leur bonheur.

Ici prend fin ma Chantefable, je n'en saurais dire davantage.

DEUXIÈME PARTIE

Le roman d'Adenet, le Roi des Ménestrels

BERTE AUX GRANDS PIEDS

AVANT-PROPOS

Après la disparition presque complète de la Littérature en langue latine, désormais réservée au monde des clercs, on voit apparaître, aux VIe et VIIe siècles, en période mérovingienne, se développer et même triompher, au temps des rois carolingiens et capétiens, une Littérature en langue vulgaire ou romane. En s'éloignant du latin classique, le roman se différencie d'une province à l'autre, d'un village à l'autre. A la longue, ses divers dialectes finissent par se fixer dans deux grands groupes : langue d'Oc, au sud ; langue d'Oïl, au nord.

En pleine période féodale, les jongleurs, ménestrels, chanteurs ou musiciens ambulants, se donnent pour mission de répandre les œuvres en langue romane, chansons de geste, fabliaux, romans courtois dans les châteaux ou donjons, à travers villes ou villages de France ou d'Europe (Angleterre, Allemagne, Italie, Espagne).

Parmi les jongleurs ou ménestrels, qui ont le plus contribué à la diffusion de la langue et de la littérature romanes, il faut réserver la première place à Adenet, « Roi des Ménestrels ».

Né dans la première moitié du XIIIe siècle, peut-être vers 1240, il est reçu tout jeune comme simple serviteur à la Cour des comtes de Flandre et de Brabant, s'attache tout particulièrement à la personne du duc Henri, qui consacre le meilleur de son temps à composer des poèmes et des chansons en langue romane.

Adenet se trouvait ainsi, par le hasard des circonstances, à bonne école. Il profitera largement des leçons de son protecteur. L'élève ne tardera pas à dépasser le maître.

En peu de temps, après quelques timides essais, il est jugé digne par le duc Henri d'être à la Cour « le Roi des Ménestrels ». Dans un de ses meilleurs romans, *Cléomadès,* il a tracé du Ménestrel Pinçonnet un portrait, qui pourrait être le sien. C'est à lui que désormais s'adresseront les grands féodaux de Flandre et de Brabant, pour l'organisation des fêtes de Cour et de chevalerie. Il pourra jouer son rôle de metteur en scène, seul capable de fournir à qui le souhaitera, un bon vielleur, un bon harpeur, un bon chanteur.

Après la mort de son protecteur, Adenet conserve son titre et ses fonctions à la Cour des fils et héritiers du duc Henri, Jean et Godefroi.

Plus encore, il est bientôt recherché par toutes les Cours seigneuriales et royales d'Europe. Il tente fortune en France. Marie de Brabant, qui avait épousé, en 1274, le roi Philippe le Hardi, lui confie l'organisation de ses fêtes poétiques. Cette reine aux longs pieds qui, dit-on, lança la mode des longues chaussures, a-t-elle inspiré à notre poète le sujet de son roman *Berte « aux grands pieds »*. Simple coïncidence, affirment les critiques.

A cet homme de Cour, il faut réserver une place de choix parmi les poètes du XIIIe siècle. On lui doit *Cléomadès,* la plus étrange de ses œuvres, roman de haute fantaisie, où un cheval de bois vole à travers les airs, pour transporter les personnages sur le théâtre de leurs aventures : les *Enfances Ogier*, *Bovon de Commarchis,* mais aussi et surtout *Berte aux grands pieds.*

Ce roman, le plus lu de tout un ensemble, a charmé les générations de France et d'Europe, depuis le XIIIe siècle.

Aujourd'hui encore, la formule traditionnelle : « Il était une fois » une princesse Berte qui connut les plus grands malheurs, avant d'être reine de France, suffit à éveiller l'attention et à provoquer les cris de douleur et de joie chez tous ceux, jeunes ou vieux, qui se groupent, un soir de Noël, autour d'un arbre ou devant une crèche.

Dans ce roman si populaire, deux noms, Pépin, père de Charlemagne, et Berte, sa mère, dont le chroniqueur

Eginhard a vanté les vertus, appartiennent à l'histoire. Tout le reste du roman, de pure imagination, est légendaire.

Adenet, comme tous ses contemporains, avait lu un roman du XIIe siècle, qui, en raison des aventures de deux grands enfants, Flore et Blanchefleur, avait eu grand succès dans les fêtes de chevalerie. A la recherche d'une victoire pour son poème, il n'hésita pas à faire de Flore et de Blanchefleur des souverains de Hongrie, père et mère de son héroïne.

L'histoire et la légende avaient ainsi livré au poète les quatre personnages, qui resteront pendant de longues années sous la menace d'une odieuse trahison. Il dut créer, de toutes pièces, les acteurs du drame, et Margiste, et Aliste, et Tybert. L'imagination très vive d'un Adenet rendit la chose facile.

Et voici l'essentiel du roman. Berte, qui vivait à la Cour de Flore, roi de Hongrie, son père, et de la reine Blanchefleur, sa mère, avait à son service deux anciennes esclaves, Margiste et sa fille Aliste. La jeune Berte et sa servante Aliste se ressemblaient de façon étrange, comme deux sœurs jumelles. Il existait pourtant entre elles une différence que naturellement ne pouvaient percevoir tous ceux qui vivaient loin de la Cour. Berte avait de grands pieds, sa servante des pieds normaux. C'est ce simple détail qui permettra plus tard à la reine Blanchefleur de découvrir les responsables d'une grande trahison et de réclamer leur mort.

L'horrible Margiste ne se résignait pas à voir sa chère Aliste au service de Berte, fille des souverains de Hongrie. Elle veut en faire une reine de France. Elle prépare, dans les moindres détails, la substitution de sa fille à la reine Berte, et cela à quelques heures du mariage de Pépin et de la jeune princesse hongroise. C'est le premier acte du grand drame qui se prolonge par l'enlèvement brutal de la pauvre reine et son transport dans la forêt du Mans par Tybert et trois sergents royaux. Tout cela, suivant les plans de Margiste, devrait aboutir au meurtre de la reine.

Berte est sauvée par le sergent Morans. Mais elle aura de cruelles surprises dans la forêt jusqu'au jour de la rencontre d'un ermite, qui lui indiquera le sentier conduisant au manoir de Simon le voyer. Au cours de longues années, Simon, Constance et ses filles lui assureront une vraie vie de famille.

Berte, retrouvée par Pépin chassant dans la forêt, reconnue par son père et sa mère, goûtera les joies d'un retour triomphal sur le chemin du Mans à Paris.

La reine, entrant au Palais royal, ne sera pas surprise d'y découvrir une Cour toute nouvelle. Avant son départ du manoir de Simon, elle avait appris le sort tragique de la vieille Margiste, de l'odieux Tybert, l'emprisonnement de son ancienne servante, Aliste, dans un monastère de Montmartre, en fait, toutes les conséquences d'un voyage de la reine Blanchefleur, sa mère, à Paris.

L'auteur de ce roman, déjà grisé par son titre de Roi des Ménestrels, eut la conviction qu'après la décadence de la littérature épique, il avait intérêt à écrire des romans à forme nouvelle. Peut-être dépassait-il la mesure, en traitant ses contemporains d'écrivains grossiers et barbares.

Quoi qu'il en soit, son originalité s'affirme tout particulièrement dans des innovations poétiques : substitution de l'alexandrin au décasyllabe, de la rime à l'assonance, agencement des laisses par groupes de deux, le premier avec rimes masculines, le second avec rimes féminines.

Son style est loin d'avoir la noblesse ou la robuste constitution que l'on découvre dans les *Chansons de Geste,* surtout dans la *Chanson de Roland.* Il est fait surtout de clarté, d'aisance, d'harmonie, toutes qualités nouvelles, qui donnent à Adenet la certitude que son roman trouvera dans toutes les classes du monde féodal un accueil enthousiaste. A la première page de *Berte,* il a la conviction absolue « que les jaloux en seront confondus ; que les bons entendeurs en auront grande joie ».

M. T.

BERTE AUX GRANDS PIEDS

Adenet découvre, à Saint-Denis, la vraie histoire de Berte aux grands pieds et le récit du combat de Pépin avec le lion.

A la fin du mois d'avril, en un temps joli et doux, où les herbes poussent et les prés reverdissent, où les arbrisseaux ne demandent qu'à refleurir, j'allais tout droit vers la cité de Saint-Denis.

Comme le jour de mon arrivée était un vendredi, j'eus la pensée de me rendre à l'abbaye pour faire mes oraisons.

J'y fis connaissance, et j'en remerciai Dieu, d'un

bon moine, moult courtois, qui me montra un livre précieux, dans lequel je pus lire l'histoire de Berte et bien des détails sur le combat de Pépin avec un lion.

Je décidai alors d'écrire, en vers, cette histoire et j'eus, en moi-même, la certitude que les jaloux en seraient confondus et que, par contre, les bons entendeurs en auraient grande joie.

Pépin abat un lion qui avait pénétré dans le palais du roi Charles Martel.

A cette époque, la France avait un roi, de bonne seigneurie et de grande bravoure, moult redoutable. Il avait nom Charles Martel. Il fit maintes expéditions contre Girart, Fouques et leur maisnie. Après de longs et durs combats, où des âmes furent séparées de leurs corps, des hauberts rompus, des targes percées, des tours abattues, des villes assiégées et prises, la paix revint enfin et les combattants, désormais sans haine, furent de vrais et bons amis. Après une longue période de calme, il fallut reprendre les armes contre les Vandales, qui mettaient l'Europe à feu et à sang.

Au jour de la Saint-Jean, en un temps où les rosiers de tous les jardins étaient en fleurs, le roi, heureux d'avoir remporté une belle victoire sur ses plus redoutables ennemis, décida de réunir, dans une des salles voûtées de son palais, une nombreuse chevalerie. Pour organiser la fête, le roi ne pouvait compter que sur la reine et son second fils, Pépin, un prince magnifique, un véritable géant. Son fils aîné, Carloman, de moult bonne et sainte vie, après quelques années passées à la Cour, s'était retiré dans une abbaye, où il vivait noblement et saintement.

Au grand jour de fête et de joie, Charles fit dresser,

dans son jardin, moult grandes tables, autour desquelles vinrent s'asseoir les gens de sa maisnie et toute une jeune bachelerie. Les tables étaient à peine dressées et tous les convives assis, que l'on vit brusquement apparaître, au fond du jardin, un lion. Cette bête, la plus cruelle, la plus sauvage que l'on pût voir, venait de mettre en pièces sa cage, d'étrangler tour à tour son gardien, un Normand, et deux damoiseaux, tous deux de Normandie, qui jouaient sur l'herbe.

A la vue de l'animal, le roi se dresse et, sans perdre un instant, saisit la reine et l'entraîne hors du jardin, dans le palais. Les chevaliers quittent précipitamment leurs tables et suivent leur souverain dans sa fuite.

Pépin en rougit de honte et de colère. Il se dresse, se rend dans une salle voisine, prend une épée qu'il brandit fièrement et, sans la moindre hésitation, se porte audevant du lion.

L'épée à la main, il frappe l'animal d'un coup direct dans la poitrine et enfonce le froid de l'acier dans le corps. L'animal tombe pour ne plus se relever. Il était mort.

Tout le monde se précipite vers le jardin pour constater, de près, le fait merveilleux, le vrai miracle. Le roi embrasse son fils, la reine pleure de joie. « Mon très doux enfant, comment avez-vous eu l'audace d'attaquer cet horrible animal ? — Peut-on m'en blâmer », répond simplement Pépin.

Le roi Pépin, dans une assemblée de barons, annonce son intention de demander en mariage la jeune Berte aux grands pieds.

Le roi Charles mourut, puis mourut sa femme, la reine, au beau visage. Leur fils et héritier légitime, couronné roi, épousa une princesse, qui, sans mentir, était d'un bon lignage, celui de Gerbert, de Garin et de Malvoison. Pépin vécut avec elle de longues années, mais n'eut pas d'héritier. Elle mourut jeune. Que Dieu ait pitié de son âme !

Peu de temps après, le roi décida de se remarier. Il convoqua à sa Cour des barons, en particulier ceux qui avaient son entière confiance. Il leur demanda s'il lui serait possible, et en quelle contrée d'Europe, de trouvec une nouvelle reine.

Enguerrant de Montcler, un de ses meilleurs barons, prit le premier la parole : « Sire, par le corps de saint Omer, je puis, à cette heure même, vous proposer la fille du roi de Hongrie ; j'en ai entendu moult belles louanges : il n'y aurait pas, dans le monde, de femme plus belle et plus sage. On l'appelle Berte la Débonnaire.

— Seigneurs, dit le roi, il faut se hâter. Je veux, à tout prix, l'avoir pour femme. »

Il groupe autour de lui les meilleurs de ses barons et leur donne l'ordre de partir, sur l'heure, pour la Hongrie. Ils auront pour mission de demander la jeune Berte en mariage.

Ils traversèrent l'Allemagne et toutes autres régions, avant de pénétrer un mardi, à l'heure du repas, dans une grande cité hongroise appelée Strigon.

Les envoyés du roi Pépin s'acquittèrent de leur mission auprès du roi Flore, moult digne de louanges, qui, sans la moindre hésitation, fit droit à leur demande.

La reine Blanchefleur manda tout de suite Berte, et le roi la présenta aux messagers de Pépin. Les Français, pleins d'admiration pour la jeune Berte, au visage blanc et vermeil, la saluèrent très courtoisement.

Le roi donna l'ordre de dresser les tables dans la grande salle du palais, et tout le monde prit place pour le banquet, qui fut splendide.

Flore et Blanchefleur auraient bien voulu retenir

plus longtemps les messagers de Pépin qui préparaient leur voyage de retour. Au départ de Hongrie, les Français n'acceptèrent ni l'or, ni l'argent, ni les chevaux que leur offraient les rois de Hongrie, comme cadeaux.

Berte qui, avec moult douceur, pleurait, vint prendre congé de son père : « Sire, dit-elle, je vais bien cruellement me séparer de vous ; embrassez de ma part mon frère, qui tient en Pologne la terre de Grodno.

— Ma chère enfant, dit le roi, ressemblez à votre mère. Ne soyez jamais ni dure, ni amère pour les autres, surtout pour les pauvres, mais plutôt pleine de cœur et de bonté. Celle qui agit ainsi, moult noblement se comporte ; celle qui ne fait pas le bien, en est fortement punie à la fin de son existence. Je demande à Dieu, notre vrai et seul maître, de maintenir votre corps et votre âme dans la bonne voie. »

Au temps dont je vous conte l'histoire, il était de bon ton, pour les grands seigneurs, comtes, marquis et barons, à plus forte raison pour les princes et les rois, d'avoir dans leurs domaines ou à leur Cour des maîtres chargés d'apprendre le français à leurs fils ou à leurs filles, ou même à leurs serviteurs.

Le roi Flore, qui avait été élevé en France, Blanchefleur et Berte, au clair et beau visage, parlaient le français de Paris, aussi bien que les habitants du bourg Saint-Denis. Aliste, fille d'une esclave (que Dieu la maudisse pour l'horrible trahison dont elle se rendra plus tard coupable), parlait le français comme ses maîtres.

Mais je m'égare et reviens bien vite à l'histoire que j'avais commencée..... Berte était une fille moult franche et courtoise. Tous ceux qui la connaissaient avaient pour elle une grande admiration. Elle était blanche et vermeille, parlait avec moult douceur. De la Hongrie à la ville de Pise, il eût été difficile de découvrir une fille plus belle, plus soucieuse de faire le bien.

Son cœur fut absolument bouleversé au moment où elle dut se séparer définitivement de son père et de sa mère qu'elle aimait tant. Les habitants de la terre hongroise, qui assistaient au départ de leur princesse, je vous l'affirme sans mentir, versaient tous des larmes. « Ma fille, dit la reine à l'heure de la séparation, je vous accompagnerai aussi loin qu'il me sera possible. Je laisse à votre service la vieille Margiste, sa fille Aliste, de grande beauté, qui m'est particulièrement chère, pour la seule raison qu'elle vous ressemble de façon si étrange, qu'on la prendrait pour votre sœur jumelle. Tybert, leur cousin, sera aussi de votre maisnie. N'oubliez jamais qu'en les rachetant de mes propres deniers, je les ai fait sortir tous les trois du servage. C'est en raison de tout cela que je leur donne toute ma confiance.

— Dame ma mère, répond Berte, je les aimerai bien et, en toutes circonstances, je leur demanderai conseil. Et même, si j'en trouve l'occasion, je donnerai un mari à Aliste, celle qui me ressemble.

— Ma fille, affirme la reine Blanchefleur, je vous en saurai beaucoup de gré. »

Un lundi matin, Berte monta sur un palefroi et prit le départ. Je ne vous livrerai pas les moindres incidents de toutes les journées de ce long voyage. Vous apprendrez pourtant qu'elle rencontra, en Saxe, le duc Nicolas et sa femme, la duchesse, qui était la fille de la reine Blanchefleur.

« Ma chère Berte, dit alors Blanchefleur, je dois vous quitter. Dans mon voyage de retour, j'irai saluer, pour vous, votre frère en Pologne. Soyez une bonne reine, parce que si vous vous comportiez mal en France, j'en mourrais de douleur. Laissez-moi, en partant, l'anneau que vous avez à votre doigt ; tout en versant des larmes, matin et soir, je le porterai à mes lèvres pour le baiser.

— Dame ma mère, répond Berte en pleurant, je le ferai. »

Sans hésiter, elle détache de son doigt l'anneau et le tend à sa mère, qui le reçoit avec des larmes.

« Ma douce mère, ajoute-t-elle, j'ai l'impression que mon cœur est comme percé d'un couteau.

— Ma fille, je vous en supplie, soyez raisonnable. Vous partez pour la France et je suis sûre qu'il vous serait difficile de découvrir, dans tout autre pays du monde, une population aussi courtoise, aussi loyale. »

Au départ, tout le monde pleurait. Berte, terrassée par l'émotion, s'effondra sur le sol. Mais sa mère n'était plus là pour se porter à son secours. Sa sœur, la duchesse, se précipita pour la relever et l'emporter dans ses bras.

Berte revient peu à peu à elle et se résigne à se séparer définitivement du duc et de la duchesse.

Les barons français, qui avaient déjà fait leurs préparatifs de départ, installent doucement, avec beaucoup de soin, la jeune Berte sur son palefroi. Ils traversent l'Allemagne, franchissent le Rhin à Saint-Hervert, puis chevauchent à travers l'Ardenne. Ils s'arrêtent pour prendre leur logement à Rostemont-sur-Meuse, dans un très beau château, qui se dressait superbement entre deux vallées tapissées de forêts et de prairies. (Le duc Namles de Bavière, prince de grande hardiesse et de bonne loyauté, avait transformé ce château en forteresse, qui reçut le nom de Namur.) Cousin du roi de Hongrie, il hébergea très honorablement la jeune Berte et les Français de sa suite. Il offrit à tous les barons, avant leur départ pour le royaume de France, de superbes présents. Les Français, comme le roi Pépin leur avait recommandé, ne voulurent rien accepter, ni or, ni argent, ni chevaux.

Toute la maisnie de Berte quitta, un matin, Rostemont. Je ne dirai rien du voyage à travers le Hainaut et le Vermandois.

Au soir de son mariage, solennellement célébré dans Paris, Berte est traîtreusement enlevée par la vieille Margiste, qui a décidé de faire de sa fille Aliste, une reine de France.

Les Français et les Hongrois qui accompagnaient Berte arrivèrent à Paris un dimanche, avant la nuit.

Le roi Pépin vint lui-même à leur rencontre, avec plus de mille sept cents chevaliers, tous de noble origine.

Berte, la fille sage et courtoise, les salue moult gentiment ; les chevaliers rendent le salut en se disant les uns aux autres : « Vrai ! par saint Clément, c'est une bien jolie dame et de fraîche jeunesse ! »

Dans Paris, la joie est grande : les cloches de toutes les églises sonnent, comme aux jours de grandes fêtes ; sur les places, dans les rues, les maisons disparaissent sous de riches tentures ; les dames et les jeunes filles, parées de belles robes pour la réception de la nouvelle souveraine, se réjouissent, carolent et chantent ; toute la cité resplendit de joyaux et de richesses.

Arrivée près du perron du Palais royal, la jeune princesse de Hongrie descend de cheval. Tous les barons se pressent autour d'elle, avec la seule pensée de lui faire une escorte d'honneur.

Vers la mi-août, par un magnifique matin sans vent et sans pluie, le roi Pépin épousa Berte. La belle jeune fille, vêtue d'un précieux drap d'Otrante, portait sur sa tête une couronne qui lui seyait parfaitement (elle valait plus de cent mille marcs). Dans cet ensemble, la nouvelle reine, une pure merveille, avait la grâce et la beauté d'une jolie fleur sur sa tige.

Après le chant de la messe, tous les assistants quittent la chapelle du Palais royal et viennent prendre place autour des tables, dressées sous les arbres d'un magnifique jardin. Les grands seigneurs, par groupes de vingt ou de trente, se disputent l'honneur de servir le roi Pépin et la nouvelle reine, qui président le magnifique banquet.

Au cours du banquet, Margiste, la triste vieille, qui prépare secrètement une œuvre de trahison, a de telles attentions pour la jeune reine, que celle-ci en a le visage tout baigné de larmes.

Le banquet se termine ; les grands seigneurs font place aux ménestrels et aux jongleurs, qui se préparent à jouer leur rôle dans cette belle cérémonie.

Trois ménestrels de grand renom étaient venus devant le roi pour le distraire, devant la reine pour la charmer. Le premier, Gautier, triomphait avec sa vielle ; le second, maître Garnier, avec une harpe ; le troisième, dont tout le monde ignorait le nom, jouait moult bien du luth. Les souverains, les dames et les chevaliers eurent grande joie à les entendre et à les applaudir. Les ménestrels, tout heureux d'avoir provoqué chez tous les convives un grand enthousiasme, quittèrent à grand regret la grande salle du palais.

Suivant la tradition, le roi fut le premier à se lever pour regagner ses appartements. Deux seigneurs de la Cour, un prince et un comte, s'avancèrent pour conduire dans sa chambre la reine Berte, qui avait hâte de se reposer des fatigues d'un long voyage.

Au même moment, on voit s'avancer vers la reine Berte et les deux seigneurs la vieille Margiste (que Dieu la maudisse !). Sur les conseils du démon, elle avait préparé, au cours du voyage de Hongrie en France, et dans les moindres détails, une horrible entreprise.

Après avoir écarté d'un geste les deux seigneurs, le

prince et le comte, elle va se mettre à genoux devant la reine Berte, puis se relève pour lui glisser mystérieusement à l'oreille quelques mots :

« Ma douce reine, par le corps saint Richier, vous me voyez près de vous dans une bien cruelle angoisse. Un de mes amis est venu hier me confier, en grand mystère, une chose étrange, affreuse. Depuis la mort du Christ sur la croix, au calvaire, il n'y a pas eu, dans le monde, d'homme aussi cruel que le roi Pépin. Je remplis, ma douce reine, un devoir vis-à-vis de vous, en vous apportant mes craintes et mon angoisse. Vous serez cette nuit sa compagne, puisque ce matin vous l'avez épousée au pied des autels. En toute vérité, j'ai grand'peur qu'il vous donne la mort. Ma douce reine, que Dieu vous garde ! »

La reine entend les dernières paroles de Margiste. Complètement bouleversée, elle est prise de tremblement, verse des larmes, est sur le point de s'effondrer sur le sol.

Margiste se précipite vers la reine pour la rassurer : « Chère et douce reine, ne vous laissez pas aller au désespoir. Par le Dieu plein de droiture, mon grand amour pour votre personne me fera découvrir le moyen de vous sauver. Ce soir, suivant la coutume, les évêques et les abbés viendront bénir la chambre et le lit du roi, qui tient en son pouvoir la France entière. La cérémonie terminée, je ferai sortir tout le monde de la chambre royale et demanderai à ma fille Aliste, qui a même taille, même visage, même regard que vous, de prendre votre place auprès du roi. Je l'ai déjà prévenue ; je compte absolument sur elle. Pour vous dire toute la vérité, j'aimerais mieux la voir mourir frappée par le roi, que de vous perdre pour toujours, vous, ma belle et chère reine. »

Berte, en toute confiance, se précipite vers Margiste et la serre fortement dans ses bras, puis se met en prières pour rendre grâces à Dieu, à la Vierge et aux saints. Jamais elle n'avait éprouvé tant d'émotion et tant de joie. Elle venait ainsi, elle le croyait et l'affirmait en toute bonne foi, d'échapper à la mort que lui réservait, au soir de son mariage, le roi Pépin.

Après avoir remercié une fois de plus Notre-Dame la Vierge Marie, pleine de droiture, elle s'empressa de quitter la chambre maudite pour se retirer, suivant les conseils de Margiste, dans la pièce voisine, donnant sur le jardin et sur la rivière.

Berte aperçut alors, accoudée à une fenêtre de pierre, Aliste, qui lui ressemblait plus que le meilleur des portraits.

Margiste, qui un moment avait suivi la reine Berte, vint embrasser sa fille.

La mère et la fille se retirèrent dans un coin obscur et purent, bien à l'écart, préparer, en grand secret et dans les moindres détails, la trahison qui les débarrasserait pour toujours de la malheureuse reine Berte.

« Ma fille, dit la vieille, j'ai grand amour pour vous ; s'il plaît à Dieu et à saint Pierre, vous serez cette nuit reine de France.

— Dame ma mère, dit Aliste, que Dieu exauce votre prière. Envoyez au plus tôt Tybert ; il m'est avis qu'en pareille circonstance il nous sera de bon conseil. Donnez-lui comme prétexte que, hier soir, par distraction, il avait tenu dans ses mains mon aumônière. »

Margiste part, sur l'heure, à la recherche de Tybert.

Tybert s'empressa de répondre à l'appel d'Aliste. Il aurait ainsi, lui aussi, avec tous les complices, sa part dans la trahison.

Margiste, Aliste et Tybert purent bientôt, et à loisir, se mettre d'accord sur le moyen de tenir la reine Berte loin de Paris et même hors du royaume de France.

« Ma fille, dit la vieille Margiste, il faut, dans l'existence, reculer d'abord, pour, plus tard, aller de l'avant et enfin triompher. Pour être reine de France, vous aurez à souffrir quelque peu. Cette nuit, je ferai dormir la reine Berte tout près de moi, dans une chambre voisine de la vôtre. Au lever du jour, je vous l'enverrai, comme si elle venait prendre sa place auprès du roi. A ce moment même, avec un couteau, vous vous frapperez à la jambe ; un peu de sang sortira de la blessure. Vous pousserez un grand cri de douleur, pour donner l'impression au roi qu'on a tenté de vous assassiner. J'entrerai brusquement dans la chambre et saisirai Berte par le bras. C'est compris et bien entendu.

— Dame ma mère, répond Aliste, il sera fait suivant votre désir. »

L'odieuse affaire est ainsi réglée dans ses moindres détails. Que Dieu punisse les traîtres !

Sur le soir, après le repas, des évêques et des abbés viennent bénir la chambre royale, se conformant ainsi à la tradition. Margiste fait alors sortir tous les assistants, éteint toutes les lumières.

Elle demande à sa fille de placer, sur le bord du lit où elle vient de s'étendre, un couteau, l'instrument de la trahison. Elle constate que tout est parfaitement réglé et sa joie est grande. Elle n'a plus qu'à se rendre dans la chambre voisine, où la reine Berte l'attend.

« Ma chère et douce reine, ma fille Aliste, que je viens de quitter, il y a un instant, est en grande angoisse. Personne au monde ne pourra se douter de ce que j'ai imaginé pour vous sauver la vie.

— Vous dites vrai, répond Berte, Dieu vous le rendra. »

Margiste lui dicte, détail par détail, ce qu'elle devra faire à son retour dans la chambre royale. Berte déclare qu'elle n'a pas la moindre intention de la contredire. Elle se couche et, avant de s'endormir, lit ses heures, avec la plus grande dévotion.

Avant le lever du jour, Margiste avait mandé au palais l'odieux Tybert, qui s'empressa de répondre à son appel.

Berte, après son réveil, se rend dans la chambre du roi, comme Margiste le lui avait demandé. Elle s'approche doucement du lit où Aliste semblait dormir. L'horrible serve l'aperçoit, prend le couteau, s'en donne, comme convenu, un coup à la jambe ; le sang coule avec abondance. D'un geste, prévu à l'avance, elle le présente à Berte qui, surprise, sans penser à mal, le reçoit.

Brusquement, Aliste pousse un grand cri : « Que faites-vous, sire roi ? On m'assassine et vous ne bougez pas ! » Le roi, qui dormait, se réveille brusquement, et, debout sur son lit, voit une jeune femme, à deux pas, un couteau à la main ; il est sur le point de se pâmer.

Margiste, qui a entendu les cris de douleur de sa fille, se précipite dans la chambre et voit le sang couler.

Le roi, qui ne pouvait pas soupçonner une trahison, se reprend, et déclare fermement à Margiste que la femme qui tient un couteau à la main sera mise à mort, sans jugement.

La vieille saisit alors Berte, la frappe d'un coup à la tête et la jette brutalement hors de la chambre royale.

Berte, toute bouleversée, douloureusement surprise, ne comprend ni l'attitude du roi, ni la brutalité de Margiste.

A son tour, intervient Tybert, qui prend Berte par son manteau. « Au secours ! au secours ! crie Berte, atterrée. Mon Dieu ! mon Dieu ! pourquoi suis-je abandonnée et trahie par mes propres serviteurs ? »

Margiste et Tybert jettent à terre la malheureuse reine, lui enfoncent dans la bouche, à grande cruauté, une corde qu'ils fixent solidement derrière la nuque. Il sera désormais à la malheureuse impossible de pousser le moindre cri.

Berte, les pieds et les mains liés, est jetée sur un lit ; son corps est recouvert d'un simple drap. Dieu de Majesté, prenez-la en pitié, sauvez-la !

Margiste ne la perd pas de vue un seul instant. Elle s'approche d'elle pour lui glisser à l'oreille ces simples mots : « Pas le moindre cri, ou je vous tranche la tête ! »

Berte, qui entend ces sinistres paroles, est dans l'épouvante. Elle a fini par comprendre qu'elle vient d'être victime de la plus abominable trahison. De deuil et de douleur, elle tombe en pâmoison. La vieille peut s'éloigner plus rassurée, mais pour plus de précaution, elle laisse près de sa victime le sinistre Tybert.

Margiste revient dans la chambre du roi. Feignant la tristesse et la douleur, elle se porte vers le lit royal et parlant très haut :

« Par le Dieu qui fit le ciel et la terre, si vous saviez, madame, comment j'ai traité ma fille, vous affirmeriez que je ne suis pour rien dans cette triste aventure.

— Taisez-vous, dit le roi, triste vieille, j'ai bien compris la trahison, vous vouliez assassiner secrètement la reine Berte, ma femme. Votre fille sera brûlée. Rien ne pourra la sauver. »

L'abominable serve, Aliste, prend alors la parole : « Sire, vous êtes dans l'erreur. Margiste n'est pour rien dans la trahison. De Paris à la mer salée, il n'y a pas de femme plus estimable qu'elle. Par contre, sa fille a toujours été regardée comme folle. Sire, en ce lever du jour, je sollicite de vous une faveur, la première depuis que vous m'avez épousée et couronnée d'un diadème d'or fin. Je vous prie, par la foi que vous m'avez jurée, de choisir trois sergents et de les envoyer, en grand secret, se saisir de la fille qui voulait me donner la mort ; ils auront ou à la conduire en pays lointain, ou même à lui donner la mort.

— Dame, dit la vieille, vous avez absolument raison. Je veux, sur mon âme, ou qu'elle ait la tête tranchée, ou qu'elle soit noyée dans un torrent. »

Le roi entend la requête. Il embrasse la serve et se met d'accord avec la vieille Margiste pour mettre fin à la triste aventure.

La décision du roi la met en grande joie, et, pour le remercier, elle s'incline respectueusement devant lui.

Pépin a quitté la chambre pour choisir lui-même les trois sergents et les conduire auprès de Margiste, qui leur fera connaître l'essentiel de leur mission.

Sans le moindre retard, la vieille prend congé du roi. A la voir se plaindre, soupirer et même verser des larmes, on croirait qu'elle est sur le point de devenir folle. Quelle sinistre comédie !

Tout en versant des pleurs, elle tient, avant son départ, à revoir le roi pour lui dire : « Sire, soyez-en sûr, vous n'entendrez plus parler de la criminelle, qui a voulu assassiner votre chère compagne. Je ne la tiens plus pour ma fille. »

Après le départ de Margiste, celle que le roi prend toujours pour sa femme soupire et pleure. Pépin, avec la plus grande douceur, essaie de la consoler, de la réconforter.

« Belle dame, cessez vos pleurs. Dieu punira cette horrible fille, qui a voulu vous donner la mort. Voyons, êtes-vous bien blessée ? ne me cachez rien.

— Sire, fait-elle avec moult épouvante, j'ai vu couler mon sang ; je vous montrerai ma blessure. »

Elle contait tout cela au roi, dans les moindres détails, pour donner aux autres le temps d'achever leur œuvre de trahison.

Au même moment, Tybert et Margiste, et les trois sergents, se hâtaient de hisser la pauvre reine Berte sur un cheval.

« Veillez surtout, dit Margiste à Tybert, de ne pas

laisser la reine, au cours du voyage, pousser le moindre cri de détresse.

— N'ayez pas la moindre crainte, répond Tybert, et pour vous prouver que j'ai suivi vos instructions à la lettre, je vous apporterai au retour son cœur, je vous l'ai promis. »

En pleine forêt du Mans, la reine Berte, sur le point d'être égorgée par le sinistre Tybert, est sauvée par Morans, l'un des trois sergents.

Tybert a pris congé de Margiste. Au lever du jour, alors que la lune lançait ses derniers rayons, le traître et les trois sergents poussaient la malheureuse Berte sur une route, loin de Paris. La pauvre reine était tout naturellement en grande angoisse et, malgré tout, pleine de foi en Dieu et de confiance dans la douce Vierge Marie.

Où la conduit-on ? Elle l'ignore. D'ailleurs, le voile qui couvre complètement son visage l'empêche de remarquer les détails du paysage ; la corde, enfoncée dans sa bouche, lui ôte l'envie de pousser le moindre cri ou de prononcer le moindre mot.

Il ne lui reste qu'à se parler à elle-même : « Sire Dieu, Père souverain, se dit-elle, est-il juste que j'expie un crime que je n'ai pas commis ? Y a-t-il au monde misère comparable à la mienne ? Hélas ! jamais, sans doute, je ne reverrai ni ma douce mère Blanchefleur, ni mon père le roi Flore qui m'aimait tant, ni ma sœur, ni mon frère. Mon Dieu ! je vous en supplie, prenez en garde et mon âme et mon corps. Je les remets entre vos mains ! »

Dans la marche, qui se poursuit heure par heure, jour après jour, Berte ne peut savoir où on la conduit.

A chaque étape, dans une maison, sous un arbre, en pleine campagne, Tybert est toujours près d'elle. C'est lui seul qui retire, pour un temps, la corde de la bouche, lui donne à manger et à boire, tenant à son poing une épée d'acier pour l'empêcher de prononcer une parole ou de pousser le moindre cri. S'il faut reprendre la marche, c'est à lui qu'il appartient de remettre la corde dans la bouche et de la fixer derrière la tête.

Tybert et les trois sergents avancèrent sur la route ou à travers champs, au moins cinq grandes journées avant de pénétrer dans une forêt très touffue, dans la forêt du Mans.

Ils s'arrêtèrent sous un olivier. « Sergents, dit Tybert, par le corps de saint Richier, nous ne pouvons aller plus loin. »

Les sergents répondirent : « Nous sommes de cet avis. » Des trois sergents, l'un, Morans, était moult bon et loyal, le second portait le nom de Gadefroi, le troisième Renier. Ils aidèrent la reine à descendre de cheval.

Jusqu'alors, ils n'avaient pu la voir de bien près, Tybert n'ayant confiance qu'en lui-même. Mais ce jour-là, retirant le drap qui recouvrait entièrement la robe de la reine, ils constatèrent qu'elle portait un bliaut de couleur blanche et un manteau moult splendide. Ils la virent si belle qu'ils se mirent tous trois à l'avoir en plus grande pitié.

Tybert s'en aperçoit et décide de hâter la fin de l'aventure. A la grande surprise de ses compagnons, il a, pour la première fois, son épée à la main.

« Tenez-vous bien à l'écart, d'un seul coup, je vais lui trancher la tête. »

Berte voit l'épée ; l'épouvante la précipite sur le sol qu'elle baise. La corde, enfoncée dans sa bouche, ne lui permet pas de faire entendre par des cris ou des paroles la vérité sur l'odieuse aventure.

Tout semble perdu. Mais brusquement, Morans se dresse et crie à Tybert : « Garde-toi bien de frapper cette jeune créature ; sinon, par le Dieu qui gouverne le monde, et quand même je ne devrais plus revoir Paris, je trancherais de mon épée et ta tête et tes membres. Pourquoi montrer si dur visage à si douce créature ?

— Par Dieu ! il faut la tuer, répond Tybert. Avant le départ, je l'ai formellement promis à Margiste qui m'est chère.

— Tybert, répond Morans, ton cœur est dur comme la pierre ; si tu lui fais le moindre mal, par l'apôtre que l'on invoque à Rome, tout l'or de Bavière ne m'empêchera pas de faire de cette forêt un tombeau pour toi. »

Le traître est en grande fureur, parce qu'on ne lui permet pas de donner la mort à la reine et de rapporter son cœur à Margiste.

Il brandit son épée, mais au même instant les trois sergents se précipitent sur lui ; ils arrêtent le bras prêt à frapper. Le traître est fixé à genoux sur le sol.

Morans put se porter vers la reine Berte, lui enlever la corde de la bouche et dégager ses bras, toujours liés derrière le dos. « Belle dame, vous êtes libre, déclare le bon sergent. Fuyez, sans perdre un instant, à travers cette forêt. Que Dieu vous protège, garde votre âme et votre corps ! »

Sans la moindre hésitation, la jeune reine qui vient, par miracle, d'échapper à la mort, s'engage dans la forêt.

Tybert, furieux, s'est relevé. S'adressant à ses compagnons : « Vous m'avez mal servi ; à notre retour, je demanderai au roi de vous faire pendre tous les trois.

— Seigneur, j'en prends Dieu à témoin, affirme Morans, nous fîmes triste besogne, en venant ici pour accomplir un crime épouvantable. Que le Ciel prenne sous sa protection cette malheureuse dame si jeune, si gentille, sans la moindre malice, parce que, dans cette forêt, nombreux sont les ours et les léopards qui pourraient la dévorer. » Les deux autres sergents ont les mêmes craintes que Morans.

« Seigneurs, ajoute Morans, savez-vous ce que nous pourrions faire ? Nous devrions emporter à Paris le cœur d'un porc et le présenter à Margiste comme la preuve que notre mission a été remplie. Que saint Simon vienne à notre aide ! Si vous n'êtes pas de cet avis, nous n'aurons plus qu'à vous faire disparaître.

— Tenons-nous-en au meilleur, répond Tybert. Puisque Berte s'est enfuie dans la forêt, il faut à tout prix le laisser ignorer à tout le monde, surtout à Margiste. J'ai grande frayeur d'en être rendu responsable. »

Tybert et les trois sergents rentrent à Paris et vont conter leur aventure à Margiste, qui est en grande joie.

« Dame, dit Tybert, la reine est morte, nous l'affirmons en toute vérité. Voici son cœur.

— Mes amis, dit la vieille, je vous remercie. Il n'y avait pas au monde de fille plus détestable, plus criminelle. »

Les trois sergents rentrent chez eux en hâte. Tybert et Margiste vont annoncer à Aliste la nouvelle de la mort de la reine Berte. Elle en eut moult grande joie.

« Désormais, dit Margiste à Tybert, je vous considérerai comme le meilleur de mes amis. »

Seule dans la forêt du Mans, la reine Berte est en grande angoisse.

Dans le bois feuillu, Berte est toujours en grande terreur. Elle ne sait où elle va et ne fait que se lamenter, parce qu'elle entend hurler les loups, les hiboux pousser au-dessus de sa tête des cris affreux. Plus encore, le tonnerre gronde, la pluie et la grêle tombent à grand fracas, le vent souffle avec violence en tempête. Tout cela est bien dur pour une jeune fille, sans compagnie, sans appui. Dans cette grande misère, elle trouve un véritable réconfort dans la foi et la prière.

« Sire Dieu, je crois fermement que vous êtes né de la Vierge Marie, dans la nuit de Noël. Le jour où une étoile parut au firmament pour annoncer au monde la grande nouvelle, trois Mages partent à la découverte de la sainte étable. Le premier, Melchior, apportait de la myrrhe ; le second, Gaspar, de l'encens ; le troisième, Balthazar, de l'or. Ayant trouvé cette humble demeure, ils se prosternèrent, Seigneur, à vos pieds, et vous offrirent leurs présents. Tous ceux qui invoqueront les trois rois seront exaucés. Mon Dieu, je vous en conjure, sauvez la malheureuse, qui s'est égarée dans la forêt. »

Après cette prière, Berte retroussa son manteau pour avancer plus facilement à travers les arbrisseaux et les buissons.

Tout en marchant, elle se parle à elle-même : « Où aller, je n'ai ni chevaux de bât, ni coffre, ni maison, ni salle voûtée, en somme pas le moindre gîte où je pourrais vivre à l'abri des bêtes sauvages, manger à ma faim, boire à ma soif, dormir à ma fantaisie, comme tout le monde. »

Sans espoir de découvrir ce qu'elle désire, elle est prise de peur. Ses regards se portent tantôt à droite, tantôt à gauche, devant, derrière. Elle avance péniblement à la recherche d'un champ, d'une prairie, d'un endroit plus découvert. Elle ne trouve rien, s'arrête et se plaint en elle-même. Puis brusquement, regardant vers le Ciel, elle tombe à genoux, se prosterne en croix sur le sol qu'elle baise moult pieusement. Elle se relève et, tendant ses jolies mains blanches, se recommande à Dieu et à la Vierge Marie, sa douce mère.

Sa prière achevée, elle s'assied sous un arbre ; toutes ses pensées vont vers les siens.

« Mes parents, mes amis, vous reverrai-je un jour ? Quel malheur ! quelle tristesse ! Je croyais m'élever bien haut le jour où je devins reine de France et fis mon entrée solennelle dans la belle cité de Paris. Aujourd'hui peut-être suis-je condamnée à mourir de faim ou de froid dans cette sinistre forêt ? »

Un instant, elle semble reprendre courage. Mais le temps redevient affreux. La pluie et la grêle tombent à nouveau avec violence, le vent souffle en tempête et elle n'a pour se couvrir qu'une robe en piteux état. Ce n'est que péniblement qu'elle avance. Mais voici que son pied heurte brusquement une grosse pierre. Blessée sur diverses parties du corps, elle voit avec une véritable terreur son sang se répandre sur le sol.

« Destin, comme vous me faites la grimace ! Fortune, comme votre roue tourne mal pour moi ! Comment de si haut, d'un trône royal, suis-je tombée si bas, dans la poussière ou dans la boue ! En toute vérité, je suis loin de ressembler à un poisson qui, bien à l'aise, nage ou dans la rivière, ou dans la mer salée. Je me compare volontiers à un pinson ou à une alouette qu'un épervier tient dans sa serre.

« Je m'attends à tomber dans les pattes d'un lion ou d'un ours, qui me déchirera ou me dévorera.

« Mais mon Seigneur, mon Dieu, mon seul maître, vous savez que j'ai entièrement confiance en vous. Demandez à votre sainte Mère, Marie, qui a délivré maints pécheurs des griffes du démon, de m'aimer de son grand amour, de ne séparer mon âme de mon corps que pour l'envoyer dans votre saint Paradis. »

Le jour touche à sa fin. Berte voit la nuit sombre approcher et s'étendre peu à peu sur la forêt. La peur la fait trembler. Elle finit par découvrir un abri que les bêtes sauvages ont elles-mêmes construit avec des branches et de petits arbrisseaux. Elle s'arrête. Pour pouvoir se coucher, elle se fait un lit avec des feuilles mortes.

Avant de s'endormir, elle n'oublie pas sa prière. Elle supplie Jésus, le Dieu plein de droiture, de ne pas l'abandonner. Mais bientôt la pauvre reine va être soumise à une bien dure épreuve.

Berte échappe, par miracle, à la traîtrise de deux larrons.

Deux larrons qui avaient guetté le passage des marchands à travers la forêt pour les dépouiller, sont de retour de leur sinistre expédition. S'avançant à travers buissons, ils arrivent très près de la couchette où Berte dormait. Ils aperçoivent devant eux un bliaut blanc. L'un d'eux s'approche pour le tirer vers lui.

La reine, réveillée, se dresse et tremble d'épouvante, s'imaginant qu'une bête sauvage vient la dévorer.

Quand le voleur la voit si jeune et si gentille, il s'avance pour l'embrasser ; son compagnon se précipite et lui crie : « Laisse-la tranquille, animal, par le corps de saint Richier, je veux la prendre pour femme.

— Il faudrait voir, riposte le premier ; vous croyez qu'on l'a forgée pour vous ! Si vous dites un mot de plus et si vous portez votre main sur elle, cela vous coûtera cher. »

L'autre entend la menace, ses yeux se troublent ; il prend un grand couteau et le lui plonge dans le corps ; mais au même instant son compagnon le frappe d'un grand coup d'épée.

Les deux voleurs roulent sanglants sur le sol.

La reine, sans plus attendre, a pris la fuite à travers bois, relevant sa robe pour mieux courir.

Elle fuit si rapidement qu'un instant le souffle lui manque ; elle a pourtant assez de force pour se jeter dans un buisson épais, où elle restera cachée jusqu'à la nuit.

La nuit est venue et elle pleure de peur et d'émotion.

« Hélas ! que cette nuit sera longue et moult à redouter ! Et quand le jour viendra, si Dieu n'exauce pas mes prières, après ces heures d'épouvante, je ne saurai vraiment que devenir. Il y aura lieu pour moi de craindre trois choses : ou tomber frappée par le froid, ou mourir de faim, ou être dévorée par une bête sauvage. Dame Marie, Mère de Dieu, demandez à votre Fils de venir, en toutes circonstances, à mon secours. »

Berte se met à genoux, baise la terre, dit un patenôtre puis, sans plus tarder, se couche sur le côté droit. Elle se signe une dernière fois et s'endort, tout en pleurant. Que Dieu la prenne en pitié !

En un bien mauvais endroit, dans une bruyère, au penchant d'une colline, la pauvre reine, qui s'est recommandée à Dieu, à sa mère, au baron de saint Pierre, à saint Julien, le vrai hospitalier, dort, une pierre sous sa tête.

Avant de s'endormir, elle avait de ses mains arraché de la fougère pour s'en couvrir le plus possible, mais aussi en avait répandu en avant et en arrière pour se protéger contre la brise froide de la nuit. Les ronces ne lui avaient rien laissé de sa robe.

Cette belle dame, qui dormait seule, en pleine forêt, était toute jeune et aussi tendre que la rosée de la prairie ; elle était moult sage, courtoise et de bonne manière. Elle avait à peine seize ans quand la vieille sorcière et son cousin, le traître Tybert, l'amenèrent de Hongrie à Paris. Que la Dame du Ciel, pleine de droiture, leur envoie à tous deux honte et douleur !

Berte dort toujours sur la terre dure. La nuit est horrible et moult froide, et la dame, jeune et tendre créature, n'a pas de quoi se couvrir.

Vers le milieu de la nuit, le temps devient meilleur : la lune se lève belle, claire, pure ; le vent est plus faible ;

la pluie cesse de tomber ; le froid est moins vif ; le calme est complet dans la forêt.

Berte s'éveille et soupire, elle tremble de peur, regarde à droite et à gauche, le temps est si clair qu'elle s'imagine que le jour va venir.

« Messire Dieu ! fait-elle, j'ai grand faim. Pourrai-je trouver de quoi manger ? »

Elle pleure, et sa première pensée à son réveil est pour son père et sa mère : « Ma douce mère qui m'aimiez tant, et vous, très doux père, qui m'embrassiez souvent, vous ne me verrez plus, je vous le jure. »

Elle s'incline ensuite vers la terre pour invoquer le Seigneur. « Tout le monde, sire Dieu, devrait vous honorer et vous servir, parce que vous vous êtes laissé clouer sur une croix pour sauver votre peuple. Celui qui a le plus à souffrir doit vous aimer davantage, car vous pouvez mieux le récompenser. Celui qui agira ainsi sera couronné par vous dans votre saint Paradis. Puisqu'il vous plaît, beau Sire, de me faire ainsi souffrir, je veux que mon corps peine davantage et endure d'autres souffrances.

« En cette forêt et par amour pour vous, je m'engage à ne révéler à personne, tant que je vivrai, que je suis la fille d'un roi et la femme de Pépin, roi de France. Plutôt que d'en parler, je préférerais mendier mon pain de porte en porte.

« Je fais pourtant une réserve. Je dirai toute la vérité s'il me faut sauver mon corps de la honte et du déshonneur.

« Dieu et ma douce Mère me feront observer mon vœu, parce que je ne veux point renoncer à leur amour. »

A ce moment, la pluie commence à tomber. Berte se blottit dans un buisson parce qu'elle se sent moult tourmentée par le grand froid des premières heures du matin.

« Sire Dieu, vrai roi, mon maître, soyez le gardien de

mon corps et de mon âme. La nuit que je viens de passer n'a pas été pour moi avare de souffrances. Triste vieille et vous, Tybert, le mauvais larron, je souffre de votre grande trahison. La justice de Dieu vous le fera payer chèrement. »

Sous la clarté de la lune, le jour commence à paraître. Berte s'en va.

Berte, s'avançant à travers le bois touffu, découvre un ermitage. L'ermite lui montre le sentier, qui conduit à la maison de Simon le voyer.

Le jour se lève ; dans la forêt, Berte ne cesse d'invoquer le Dieu de Majesté.

En marchant, elle découvre une fontaine où elle peut boire de l'eau à sa fantaisie. Mais elle se demande toujours comment elle parviendra à se protéger contre le froid et à trouver un peu de nourriture.

Plus loin, elle aperçoit un sentier dans lequel elle s'engage sans la moindre hésitation, et croit rêver en découvrant au fond un ermitage de vieille antiquité. Elle en remercie Dieu. Elle s'en approche timidement, mais avant d'entrer, elle soulève un maillet accroché au-dessus de la porte. Le bruit du maillet fait apparaître un ermite très sage et plein de bonté. L'ermite ouvre un petit guichet, voit Berte et, de la part de Dieu, la salue : « Homme franc, dit-elle, par sainte charité ouvrez-moi. Je suis lasse et ai beaucoup souffert. Je dois me reposer et réconforter mon corps. »

La grande beauté de la jeune fille surprend l'ermite et son cœur s'inquiète. « Mon Dieu, fait-il, je vous tiens à bon droit pour le gardien de mon âme ; ne souffrez pas que le démon ait sur moi le moindre pouvoir ; donnez-moi plutôt énergie et force pour que je puisse contre lui lutter davantage. »

Il fait le signe de la croix et, s'adressant à la jeune dame : « Est-ce le Bon Dieu qui vous envoie ainsi jusqu'à la porte de mon ermitage ?

— Oui, répond-elle, je lui ai livré mon cœur.

— Où êtes-vous née, dites-le moi en toute vérité.

— Sire, je suis une pauvre femme, laissez-moi entrer dans votre ermitage et vous saurez ce que je cherche, rien ne vous sera caché.

— Vous n'entrerez pas ; une femme ne peut pénétrer dans un ermitage, ni hiver, ni été. Nos maîtres en ont ainsi décidé ; je reste fidèle à mon vœu. »

Berte l'entend et se met à pleurer tristement. L'ermite lui offre du pain noir, plein de paille. Berte le lui rend et affirme que Dieu lui en saura gré. Mais elle souffre au point de ne pouvoir en goûter le moindre morceau.

L'ermite, qui s'en aperçoit, soupire et même verse des larmes. Il a grande pitié de Berte, qui lui paraît femme de bien. Mais il a fait un vœu et le tiendra ; sa porte restera fermée à l'étrangère.

« Belle dame, ne soyez pas dans la désolation ; ce matin, doit vous arriver une chose qui vous rassurera complètement. Vous allez vous diriger vers la maison de Simon et de sa femme, la très courtoise Constance. Ils sont l'un et l'autre de bonne et grande réputation.

« Ils vous hébergeront et vous protégeront contre le froid et la faim. Sur le salut de mon âme, je vous dis l'exacte vérité.

— Sire, je vous crois ; mais il me serait difficile de découvrir le chemin ; montrez-le moi.

— Soyez sans crainte. Pénétrez dans le sentier que vous avez devant vous et, pour rien au monde, ne vous en écartez.

— Que Dieu vous le rende, sire ! car je suis sûre que

je mourrai si je dois passer une autre nuit sans gîte et sans nourriture. »

L'ermite se décide à ouvrir sa porte. Il conduit Berte dans le sentier ; il verse des larmes et, par une prière, la recommande à Dieu, puis il s'éloigne.

Berte est accueillie avec joie dans le manoir de Simon, où elle connaîtra des jours heureux.

Berte pénètre dans le bois avec tristesse et angoisse. Et voici que brusquement se dresse à faible distance, dans le sentier que l'ermite lui avait indiqué, une bête sauvage, la gueule béante.

La reine s'arrête, moult épouvantée : « Au secours, mon Dieu, Père du Paradis, sinon ma vie est finie ! »

Elle tremble de peur, puis tombe en pâmoison.

Par bonheur, l'ours passe près d'elle sans la voir et s'engage dans un autre sentier. Un instant plus tôt, Berte eût été égorgée et dévorée. Mais le Bon Dieu et sa Mère honorée n'ont pas voulu voir la jeune et triste reine aller si tôt à sa fin.

Revenue à elle, Berte avait perdu sa route. Souffrant de la faim et de la soif, elle était bien épuisée. Elle n'eût pu, livrée à elle-même, vivre bien longtemps. Mais le Bon Dieu veillait toujours sur sa servante.

A ce moment, Simon le voyer qui, tous les jours, faisait sa course à travers la forêt, rencontre miraculeusement Berte dans le sentier.

Il a grande pitié de voir cette jeune fille en triste état, à peine couverte d'un manteau de gris et d'une cotte que les ronces du bois touffu ont mise en morceaux. Il la trouve si blanche et si belle, qu'il se demande comment elle a pu s'égarer ainsi en pleine forêt, loin de toute ville et de tout village.

Berte s'est arrêtée et Simon s'avance pour la saluer de par Dieu. En personne sage et sensée, elle lui rend son salut.

« Sire, que Dieu couronne plus tard votre âme dans le Paradis. Montrez-moi, je vous prie, le chemin qui conduit à la maison de Simon, homme digne de toute confiance. C'est une bonne charité que j'attends de vous. Je ne puis me retrouver dans cette forêt où je me suis égarée. Je n'ai pas mangé depuis bien des jours et, cette nuit, le froid m'a tellement saisie qu'il m'est encore difficile de me réchauffer. »

Simon se laisse attendrir par les paroles de celle qui lui inspire grande pitié ; les larmes coulent abondantes le long de son visage.

« Belle dame, qui êtes-vous, ne me le cachez pas.

— Sire, je vous le dirai en peu de mots. Tenez pour vrai que je suis née en Alsace, dans un pays qui a connu, il y a peu de temps, une moult grande guerre. Je suis la fille d'un arrière-vassal, Clément, qui a perdu tout son domaine. Tous mes parents sont dans la misère et, tous, nous cherchons notre nourriture dans les pays étrangers. J'avais une marâtre, que Dieu la punisse ! qui me battait douloureusement avec ses poings et ses pieds. Je ne pouvais plus la supporter. Il y a quelques jours, je décidai de la quitter. Je regrette aujourd'hui parce que, dans ma fuite, j'ai souffert bien des maux, bien des tourments. Le Bon Dieu est venu à mon aide. Il y a à peine un instant, un ermite me disait avec grande douceur que je pourrais sans crainte me présenter chez Simon le voyer, où je trouverais de bonnes gens qui m'hébergeraient. Je ne connais pas le sentier qui conduit à leur manoir et j'en pleure amèrement. Par Dieu, gentilhomme plein de bonté, mettez-moi sur le bon chemin et ce sera de votre part bonne charité.

— Belle dame, dit Simon, ne pleurez plus, je suis celui que vous cherchez. »

A ces mots, Berte tend ses mains vers le Ciel et sa joie est si grande que, d'un moment, elle ne peut prononcer la moindre parole. Simon s'empresse de la conduire dans son manoir. Il appelle sa femme au cœur joyeux et tendre, mais aussi de bon jugement.

« Regardez, ma chère femme, je vous fais aujourd'hui un joli présent. J'ai trouvé dans le bois, par grand hasard, cette jeune fille. Elle m'a conté déjà sa naissance et ses malheurs. Elle est de bonne origine. Réservez-lui, je vous en conjure, le meilleur accueil. Cette nuit, elle a dormi en danger de mort. Par le corps de saint Vincent, c'est un vrai miracle qu'elle ait pu échapper aux bêtes sauvages, nombreuses, vous le savez bien, dans les buissons de la forêt. En dehors de ce danger, elle eût pu mourir ou de faim ou de froid. Prenez bien soin d'elle.

— Sire, je le ferai, je vous le jure, devant Dieu ! »

Constance, avec toute sa bonté et toute sa douceur, prend très courtoisement Berte par la main.

Berte pleure, Constance verse des larmes de pitié.

Elle conduit la pauvre jeune fille dans sa chambre et la couche très gentiment, tout près d'un bon feu. Puis, elle appelle à son aide ses deux filles, moult belles, qui se précipitent à l'appel de leur mère. Elles font le possible pour bien frictionner et réchauffer la jeune étrangère.

Berte sent revenir la chaleur. Elle tourne ses regards et tend ses mains vers le Ciel pour témoigner à Dieu toute sa reconnaissance. La voilà toute en joie d'avoir échappé aux pires dangers et à de dures souffrances.

Les deux filles de Simon et de Constance ne savent qu'inventer pour la soulager et la réconforter. Mais Berte avait tant souffert et elle était si faible qu'elle ne put, tout de suite, prendre la moindre nourriture.

« Bon ermite, se disait Berte en elle-même, que Dieu élève vers lui ton âme pour m'avoir indiqué cette maison, car mon corps, dans la forêt, était soumis à bien des épreuves : à la faim, au vent, à la pluie et au froid. »

Versant des larmes, elle s'étend près du feu. A la voir pleurer, par pitié tout le monde en fait autant, et Simon, et Constance, et leurs filles.

Ils sont tous à vouloir la réconforter. Simon, qui n'a pas le cœur d'un vilain, jette dans le feu de nouveaux morceaux de bois ; Isabelle et Aiglante étendent autour d'elle un véritable tapis de paille blanche, couvrent sa poitrine de linges chauds.

Simon, très préoccupé parce qu'il n'ignore pas que Berte n'a rien mangé depuis plusieurs jours, crie à sa femme : « Je suis sûr qu'elle a faim.

« Sire, par le corps de saint Germain, elle mangera.

— Dame, dit Berte, je préfère, pour l'instant, moult me chauffer. Pourtant, hier matin, l'ermite m'avait offert un morceau de pain noir, mais je n'ai pas eu le courage d'en manger. »

Simon quitte un moment la chambre, laissant auprès de Berte sa femme et ses filles. Elles ne se lassent pas d'admirer cette jolie dame dont la chair était plus blanche que la laine, les cheveux plus noirs que ceux d'Hélène.

Toutes trois, elles apportent tous soulagements possibles à sa grande misère.

Après s'être bien reposée, Berte réclame, pour la première fois, un peu de nourriture. Constance peut alors l'interroger à nouveau.

« Mais enfin, belle dame, que vous est-il advenu ? Pourquoi, toute seule, êtes-vous entrée dans cette forêt ? Avez-vous dit la vérité ? »

Berte répond qu'elle a tout conté de son aventure.

« Belle dame, dit Constance, par Dieu, Notre-Seigneur, on vous a donné un mauvais conseil et vous avez certainement aujourd'hui le regret d'avoir perdu votre père, sous prétexte de vous débarrasser de votre marâtre.

— C'est vrai, répond Berte, le malheur m'est arrivé. Mais sachez bien que mes parents n'ont rien fait pour me retrouver ; ils ne donneraient pas sans doute, de ma misérable personne, la valeur d'un fétu de paille. »

En parlant ainsi, elle éprouve un peu de joie ; elle a bien tenu le serment de ne rien révéler de sa véritable origine. Ce serment, elle le tiendra, tant qu'elle le pourra.

Ce jour-là, Berte eut tous les bons soins de Constance et de ses filles. Elle se chauffa bien au coin du feu, mangea et but à sa fantaisie.

Et la conversation se prolongea.

« Belle dame, dit Constance, soyez sans émotion. Vous êtes ici, sachez-le bien, la bienvenue. Mais dites-moi votre nom.

— Dame Constance, je m'appelle Berte.

— Par Dieu, c'est étrange, vous portez le même nom que la dame qui, il y a peu de temps, vint de Hongrie pour épouser le roi Pépin. Tout le monde affirme dans le royaume qu'il n'y a pas sous le ciel de femme meilleure et plus belle. »

Berte se trouble ; tout son sang est bouleversé. Elle regrette, mais trop tard, de ne pas avoir caché son nom.

« Belle dame, dit Constance, vous voilà toute émue d'avoir si longtemps vécu loin de toute habitation.

— Dame, excusez mon émotion ; depuis mon arrivée dans votre manoir, je suis toute troublée à la pensée d'avoir vécu seule dans une forêt, couchée au milieu des buissons la nuit et le jour, d'avoir couru comme une bête traquée à travers roches, arbres et épines, avec des vêtements en lambeaux, des blessures aux jambes et à la poitrine. Aujourd'hui, Dieu et sa douce Mère me sont venus en aide. Que tous deux vous rendent l'amour que vous m'avez témoigné. Vous m'avez réchauffée et nourrie, alors que j'étais sur le point de mourir. »

Tout en essayant d'expliquer son émotion, Berte, en

elle-même, regrettait sincèrement d'avoir révélé son nom.

Simon, qui vient de rentrer, s'adressant à Constance :

« Faites-lui dresser un vrai lit, pour qu'elle puisse mieux dormir.

— Sire, déclare Berte, que Dieu vous récompense. Vraiment, je puis affirmer que le bon ermite ne m'a pas desservie, en m'indiquant le bon sentier. Que Dieu ait pitié de son âme ! Sans lui, je serais certainement morte. »

Puis, entre ses lèvres pour que personne ne l'entende, elle murmure : « Que le Dieu, qui naquit à Bethléem d'une Vierge, confonde et Tybert le traître, le félon, et Margiste la triste vieille, qui m'ont trahie ! Ni mon père le roi, au cœur vaillant, ni Blanchefleur ma mère, ni ma sœur Aélis, n'ont pas cru en me mariant me lancer dans une pareille aventure, Je sais bien que, s'ils l'apprenaient, il y aurait dans tout le royaume moult cœurs tristes et dolents. »

En pensant à tout cela, Berte se met à pleurer, tant son cœur est dans la désolation.

« Cessez tout désespoir, lui dit Constance. Votre marâtre a fait chose mauvaise et coupable en vous maltraitant, en vous battant. Dans la vie, l'amour d'une marâtre est peu de chose. Mais ne pensons plus à cela et n'en parlons plus. Dans ce manoir, vous aurez tout à votre volonté et l'on vous obéira.

— Dieu vous témoignera sa reconnaissance à vous et au saint ermite. Que votre âme et la sienne soient bénies par le Père, le Fils et le Saint-Esprit. »

Berte vit dans la maison de Simon et de Constance, entre de hauts sapins, au cœur de la forêt.

Soir et matin, elle incline dévotement sa tête et prie Dieu de donner une bonne fin à celui qui l'a mise sur la bonne route.

Constance, au bon cœur, et ses filles ont à tout instant soin d'elle. Elles sont pour elle au travail, du matin au soir. L'une apporte un poulet, l'autre mêle à son vin une eau bien fraîche et bien pure. Pour la protéger contre le froid, elles l'enveloppent de gris ou d'hermine. Et pourtant, elles sont loin de se douter qu'elles servent la reine de France.

La nuit, Berte dort sous une courtine, dans la chambre de pierre du manoir. Si Constance connaissait sa véritable origine, qu'elle est fille et femme de roi, elle s'inclinerait respectueusement devant elle.

Berte se fait aimer de tout son entourage, elle n'hésite pas à jouer avec grande simplicité le rôle d'une modeste servante. Et pourtant, sur un point particulier, elle est intraitable. Elle supporterait la discipline et préférerait voir sortir le cœur de sa poitrine que de ne pas rester fidèle à son serment. Elle gardait le silence sur son passé.

Pour toutes ces qualités, Constance l'aima tout autant et peut-être plus que ses deux filles.

Dans la journée, Berte se tenait assise près d'Isabelle et d'Aiglante, deux bonnes ouvrières qui travaillaient merveilleusement avec de la soie et de l'or.

Prenant un jour leur ouvrage dans ses mains pour le juger ou l'admirer, elle leur dit :

« Si cela peut vous donner quelque joie, je vous apporterai un nouveau métier, celui de ma mère, ouvrière en Alsace, son pays de naissance.

— Je vous en saurai gré », répondit Isabelle.

Berte tint sa promesse et se mit immédiatement à l'œuvre. Comme je l'ai trouvé écrit dans l'histoire de Saint-Denis, il eût été difficile de découvrir plus habile ouvrière de la cité de Tournai à la ville de Courtrai.

Isabelle disait un jour à Aiglante : « Si l'on nous comparaît à Berte, nous n'aurions pas la valeur d'un glaïeul. Je vais en courant annoncer à ma mère que notre grande amie s'est mise au travail devant nous pour nous montrer son métier, moult merveilleusement beau. Si elle quittait le manoir, ce serait un vrai désastre ; il n'y aurait plus ici la moindre joie.

— Si elle partait, nous partirions avec elle.

— Taisez-vous, ma chère fille, je la retiendrai près de moi. Si elle le désire, je la marierai ou bien j'en ferai ma meilleure compagne. Vous aurez toutes trois votre lit dans la même chambre. Tout ce qu'elle demandera lui sera accordé. »

Aiglante, qui a le cœur loyal et bon, laisse éclater sa joie.

« Ma mère, fait-elle, je remercierai tous les jours le Bon Dieu de nous avoir donné une telle compagne. Depuis que j'existe, je n'ai jamais rencontré sur ma route si douce personne ; je la trouve plus délicieuse que la rose du mois de mai. »

Sans le moindre retard, Constance entre dans la chambre, avec sa fille Aiglante. Elles trouvent Berte travaillant gentiment, simplement, sans le moindre émoi, à un ouvrage très fin et très délicat.

En la regardant, Constance est absolument ravie.

« Berte, fit-elle, tout ce que je possède est à vous. Prenez confiance, placez-vous sous ma protection. Si vous avez à vous plaindre de moi, je veux être honnie de tous les miens. »

Berte répondit à Constance : « Dame, le Seigneur Dieu, par qui le soleil nous éclaire, vous récompensera. Je vous servirai de mon mieux, même s'il doit m'en coûter quelque peine. Madame, je vous resterai tant qu'il vous plaira. Le Seigneur, qui jamais ne mentit, sait que je vous dis la vérité. Bénie soit l'heure où je vous vis pour la première fois ! »

Berte, dans le manoir, se fit aimer de tous. Elle resta neuf ans et demi avec Simon, Constance et leurs filles qu'elle avait en grande amitié.

On la savait de si grande honnêteté et loyauté, qu'on

lui laissait, comme à une maîtresse de maison, toutes les clefs du manoir.

Ses habitudes étaient bonnes et saintes. Le samedi, elle ne vivait que de pain et d'eau ; le vendredi, elle revêtait la haire de pénitence, en mémoire de douce Marie et de Jésus qui, sur la croix, pardonna à Longin. Tous les jours, elle priait pour le roi Pépin qu'elle ne pouvait oublier, demandant à Dieu de veiller sur son âme ; elle exprimait moult grands regrets pour le roi Flore, son père, et pour sa mère Blanchefleur qui l'avait nourrie.

« Ma douce mère, vous auriez le cœur douloureusement bouleversé, si vous saviez comment la serve Aliste m'a trahie. En ce moment, j'ai donné toute ma confiance au Seigneur, qui ne mentit jamais. Je le supplie de toute mon âme de vous garder, vous et mon père, le vaillant chevalier. »

Aliste, la fausse reine, exerce une véritable tyrannie sur le peuple de France, ruine par des impôts et des taxes bourgeois, artisans et paysans.

Nous laisserons pour un temps le manoir de Simon et de Constance, moult bonnes gens et de sainte vie. Ils n'ont pas attendu un mois, ou même la moitié d'une année, pour aimer Berte de tout leur cœur, à cause de son délicieux caractère. Simon la regarde comme sa nièce, Constance la traite de bonne amie. Chacun lui fait douce et aimable compagnie.

Il nous faut maintenant parler du roi Pépin, à la figure hardie ; de Margiste, l'horrible vieille, qui a trahi sa souveraine ; d'Aliste qui l'a remplacée. Que Dieu maudisse la mère et la fille !

Au temps où Tybert et les trois sergents menaient

Berte loin de Paris pour l'abandonner dans la forêt du Mans, le roi Pépin vivait dans sa capitale, la puissante cité... il croyait avoir sous sa protection et en sa compagnie sa femme Berte.

Il eut de la maudite serve deux fils, Rainfroi et Heudri, tous deux pleins de perfidie et de fausseté. A cause d'eux et par leur faute, maintes gens dans Paris furent maltraités, moult trahisons et infamies furent commises.

Sur les conseils de l'immonde vieille, sa mère, Aliste tyrannise moult durement la terre de France. Elle établit mauvaises coutumes, créa moult impôts et taxes, qui pèsent lourdement sur les paysans et ruinèrent les domaines des seigneurs. Elle fit peser de lourdes tailles sur la cité de Paris, qui fut lourdement appauvrie.

Dans tout le royaume, par crainte d'une complète spoliation, les prieurés, les abbayes, les plus riches monastères durent céder à la fausse reine une grande part de leurs ressources.

Plus la serve Aliste se rendait coupable d'injustices et de diableries, plus la vieille Margiste avait du contentement et de la joie.

Tandis que Paris et le royaume souffraient de la tyrannie de la fausse reine, le roi Pépin ne perdait pas le contact avec la Hongrie. Par deux fois, il fit partir des messagers pour apporter des nouvelles au roi Flore, le sage et le courtois, et à la reine Blanchefleur, la reine aux cheveux blonds, qui ignoraient tout de la grande trahison.

A leur retour à Paris, les messagers, qui avaient remis, au nom du roi Pépin, des chevaux et des palefrois aux souverains de Hongrie, apportèrent moult grandes richesses.

En ce temps-là, le roi Flore apprenait de bien graves nouvelles. Sa fille, la duchesse, et son fils Godefroi mouraient, quatorze mois après le mariage de Berte. Il fut dans la douleur. Il n'avait plus désormais d'héritier en dehors de la reine de France.

Mais revenons au peuple de France, qui se voyait imposer par la maudite serve toutes sortes de souffrances.

Tout le pays la redoutait et la détestait.

Tybert, le meilleur soutien de la fausse reine, employa toute son activité à briser la résistance des marchands qui se refusaient à payer les taxes sur les produits circulant à l'intérieur du royaume : les épices et le poivre, le camin et la cire, le blé et les vins. Les marchands, qui ne payaient pas les taxes, étaient jetés en prison par les sergents à la solde de l'odieux Tybert. Ils préféraient céder une partie de leur avoir que de croupir de longues années dans une cellule sans air et lumière ou même d'y mourir.

Aliste, en peu de temps, grâce à ses odieuses mesures financières, acquit tant et tant de richesses que le royaume en eut grand deuil.

La fausse reine, qui avait perdu le respect et l'amour de tout un peuple, avait conservé l'affection du roi Pépin, qui ne cessait d'affirmer à la Cour qu'il eût été difficile de trouver plus belle dame dans tout le royaume.

Le roi Flore, qui n'a pas d'autre héritière que Berte, envoie à Paris un messager pour demander au roi Pépin son fils Heudri.

En Hongrie, un dimanche, dans leur grand manoir, le roi Flore et la reine Blanchefleur avaient le cœur triste et en grand émoi. Ils étaient sans nouvelles de leur fille Berte, qu'ils désiraient tous deux revoir.

« Ma belle et douce dame, dit le roi, nous n'avons pas d'autre héritière que Berte et je souffre de la voir si loin de nous. Si nous avions à nos côtés le petit Heudri, nous pourrions lui donner tout notre avoir et si Dieu, qui a domination sur toutes choses, lui donnait longue vie, en faire un roi de Hongrie. Nous devrions envoyer en France un messager pour savoir si ce dessein est réalisable. Le roi Pépin, je l'espère, ne s'y opposera pas.

— Je consens volontiers », déclare Blanchefleur.

Un matin, j'en trouve le témoignage dans l'histoire, Blanchefleur et le roi envoyèrent un messager de toute confiance. Il était capable de bien remplir sa mission. Il n'abusait pas de la boisson afin de conserver sens, mémoire et dignité, et ainsi la possibilité de dire des choses vraies et raisonnables.

Le messager prépare rapidement son voyage. Il était monté sur une bonne mule noire, que seule une longue journée sans étape eût pu épuiser.

Après avoir traversé plaines, vallées et montagnes, le messager arrive tout droit en France. Il trouve le roi Pépin sur les bords de la Loire, en la cité de Tours.

Il le salue bien courtoisement, puis lui remet le bref qu'au départ de Hongrie le roi Flore lui avait confié.

Le roi détache la cire, ouvre le bref et le lit. Il constate que le roi Flore, par moult grande amitié, lui demande d'envoyer en Hongrie un de ses enfants.

Cet enfant aurait tout un héritage et serait roi. Tous les descendants de Flore et de Blanchefleur, lisait-il dans le message, sont allés à leur fin et il ne reste aux souverains de Hongrie qu'une seule héritière, Berte.

Pépin a terminé sa lecture et a grande pitié. Il réserve moult honneurs au messager qui, après s'être lavé les mains, prend place à la table royale pour le repas.

Les nappes sont ensuite retirées et nos Français conduisent le messager auprès de la fausse reine (à laquelle Dieu réserve pour plus tard moult dures souffrances).

Il s'acquitte auprès d'elle de sa mission, comme ses souverains le lui avaient recommandé. Il remet une lettre à la serve, qui donne l'impression d'en avoir moult grande joie.

S'arrêtant aux lignes du message dans lesquelles le roi Flore déclarait n'avoir d'autre enfant que la reine Berte qu'ils tenaient en moult grande affection, la fausse reine versa hypocritement d'abondantes larmes.

Margiste, la vieille, pleine de fausseté et déloyauté, vint ajouter ses soupirs aux larmes de sa fille. Que le Dieu de Majesté les confonde et les maudisse toutes deux !

Après son entretien avec la serve, le messager de Flore et de Blanchefleur revint devant Pépin et prit place à sa table pour le repas du soir.

Il resta à Tours jusqu'au lendemain.

Le messager, qui ne pouvait demeurer davantage, au point du jour se leva, entendit la messe au moustier Saint-Martin, prit congé de la fausse reine et de sa mère Margiste, qui lui remirent une lettre scellée. Avant de donner congé au messager, la reine feignit une grande douleur.

Le messager, au palais royal, se présenta au roi Pépin qui l'attendait dans la grande salle pavée. Le roi put alors livrer toute sa pensée.

« Ami, vous repartez pour votre pays. Saluez de ma part et le roi Flore et la reine Blanchefleur ; souhaitez-leur bonne santé et meilleur destin. Par la Vierge très honorée, dites-leur que je suis très peiné par leurs souffrances. Les choses arrivent en ce monde comme il plaît à Dieu. Je vous demande de leur déclarer que la reine ne pourrait, fût-ce un seul jour, se séparer de notre fils Heudri qui nous est moult très cher. »

Le messager n'insiste pas ; il comprend que c'est une décision prise par la reine et que le roi Flore n'y pourra rien changer. Il prend congé du roi Pépin et s'en va. Il a hâte de rentrer en Hongrie. Je ne dirai rien de son voyage de retour.

Le messager se présente devant le roi Flore et lui conte, dans les moindres détails, sa mission en France. Ainsi la terre de Hongrie ne sera pas gouvernée par les enfants du roi Pépin et il faudra s'adresser à un autre lignage.

Le roi et la reine entendent les paroles du messager et en sont bouleversés. La reine est sur le point de se pâmer.

La nouvelle se répand dans le royaume et y produit une véritable consternation.

Au cours de cette histoire, je vous ai dit maintes fois et souvent répété qu'à la fin la trahison et le meurtre doivent s'expier.

La fausse reine le verra, elle qui agit hypocritement et déloyalement, en faisant cruellement souffrir Berte, la reine légitime.

Dieu, le Souverain Maître, lui qui est le seul et vrai juge, ne supportera pas longtemps ce qui lui déplaît en ce jour.

Que tous en ce monde se gardent d'accomplir de mauvaises actions, Dieu finira par dévoiler le secret de leurs méfaits. La trahison, qui semble un moment réussir, se retournera tôt ou tard contre ses auteurs.

Après un rêve affreux, Blanchefleur obtient l'autorisation du roi Flore de partir pour Paris. La trahison est découverte ; les traîtres sont livrés au supplice.

La reine Blanchefleur, de haut parage, était femme de grand courage, pleine de foi et de confiance en Dieu.

Dans un beau manoir de Hongrie, elle dormait près du roi. Elle eut cette nuit un rêve affreux ; elle rêvait qu'une bête féroce, une ourse, dévorait son bras droit, son flanc et sa jambe, tandis qu'un aigle venait se poser sur son visage.

La peur la réveilla brusquement. Elle était sans force. Elle crut perdre le sens et devenir folle. Epouvantée, elle conta son rêve au roi et en eut grand émoi.

« Sire, dit-elle, par Dieu qui ne mentit jamais, donnez-moi la permission, je vous la demande par amour, d'aller en France au prochain jour de Pâques. Je veux voir ma fille Berte que j'aime tant, sinon, dans ma poitrine, mon cœur se brisera en deux.

— Madame, dit le roi, par le corps de saint Rémi, comment pourrions-nous rester longtemps séparés !

— Sire, dit la reine, réfléchissez. Est-ce qu'il n'y a pas plus de huit ans et demi que nous n'avons plus revu notre chère enfant. Rester ici, sans la revoir, est-ce la bonne manière de lui témoigner notre affection ? »

Le roi l'entend et commence à s'attendrir. La reine le supplie tant et tant qu'il finit par accepter, à condition qu'elle ramène ou Rainfroi, ou Heudri.

« Sire, je le ferai, je vous en donne ma parole.

— Dame, je vous donne la permission. »

La reine aura la joie de partir pour le beau royaume de France.

« Dame, dit le roi, puisque vous voulez à tout prix aller en France, je vous demande de prendre avec vous, pour votre compagnie, toute une noble chevalerie, cent chevaliers, les meilleurs qu'il soit possible de découvrir dans le royaume. Les gens de France, qui ont coutume de tout tourner en ridicule, se moqueraient de vous si vous arriviez avec une petite maisnie. »

Blanchefleur, en entendant ces paroles, est toute en joie et remercie son seigneur. Elle prépare rapidement son voyage.

Un beau matin, elle partit. Le roi l'accompagna bien loin, pendant près de deux heures. La séparation fut cruelle. Flore, tout en la recommandant à Dieu, fils de Sainte Marie, l'embrassa moult tendrement.

La reine et ses cent chevaliers traversèrent et montagnes, et forêts, et rivières, avant d'atteindre le noble pays de France.

La nouvelle se répandit dans tout le royaume que la mère de la reine arrivait de Hongrie. Les habitants n'eurent que des paroles de malédiction. Dans toutes les églises, les fidèles priaient le Seigneur Dieu de lui envoyer une grave maladie qui la ferait souffrir et donnerait, par suite, à Satan la joie d'accueillir son âme en enfer.

Blanchefleur apprend ces tristes nouvelles. Ce fut pour elle une douloureuse et cruelle surprise d'apprendre que tout le pays de France détestait sa fille Berte, dont toute la Hongrie admirait la sagesse, la loyauté et la bonté.

« Mon Dieu ! fait-elle, d'où nous vient une pareille diablerie ? Ma fille fut bien élevée, dans une noble maison ; elle est née de bon lignage, de père et de mère de race ancienne ; comment est-elle arrivée à dépouiller tout un peuple et à le faire souffrir avec tant de déloyauté ?

« De Hongrie en Syrie, il n'y a pas d'homme plus loyal que son père, et moi-même je n'aime ni outrage, ni folie. Ma tristesse et ma surprise sont si grandes que je ne sais plus quelles paroles prononcer. Avant mon retour près de mon seigneur, ma fille sera châtiée. Elle devra restituer toutes les richesses qu'elle a volées, en dépouillant ses sujets et en les rendant pauvres et misérables. »

Tout en chevauchant sur une route de France, Blanchefleur rencontre un paysan, un vilain, qui porte la main au mors de son palefroi.

« Madame, dit le vilain, j'ai à me plaindre de la reine votre fille. Je n'avais qu'un cheval pour gagner ma misérable vie et nourrir mes chers petits enfants qui sont désormais condamnés à mourir de faim.

« Il m'aidait à transporter à Paris, plusieurs fois dans le mois, un chargement de chaume, de paille ou de bois. Je l'avais payé, il y a un an, soixante sols. La reine, votre fille, par mauvais orgueil, me l'a volé. Cet hiver encore, je le nourrissais de mon grain. Mais par le Saint Seigneur, qui se décidera un jour à me venger, je la maudirai, et le matin et le soir. »

La reine Blanchefleur a tant de douleur qu'elle en a le cœur malade. Elle a pitié du vilain. Elle fait avancer un de ses seigneurs et le charge de mettre dans la main du paysan la somme de cent sols.

Le paysan, tout en joie, baise, à plusieurs reprises, l'étrier de la selle et la bride du cheval de la reine.

« Dieu vous le rende, fait-il, par le corps de saint Germain, je ne maudirai jamais plus la reine Berte. »

Un lundi, premier jour de la semaine, la reine Blanchefleur, que Dieu lui réserve riches bienfaits ! chevauchait, vêtue de beaux habits, vers Paris, avec toute sa chevalerie. Les nouvelles de sa fille lui pesaient lourdement sur le cœur et elle en avait moult grand deuil.

« Mon Dieu, se disait-elle en elle-même, vous qui fûtes présent à la Cène, et vous, Sainte Marie, pleine de bonté, dites-moi comment ma fille, qui a plus de beauté qu'Hélène, est-elle arrivée à se faire haïr par les habitants de toutes les contrées de France. Le jour où elle quitta la Hongrie, elle avait toutes les qualités. Il n'y avait pas jusqu'aux ports d'Aquitaine de femme mieux élevée. Elle était riche.

« Comment une claire fontaine s'est-elle transformée en bourbier ? Pouvez-vous, par votre grande douceur, la ramener à bon port ? »

Toute à ses réflexions, la reine continue à chevaucher sur la route qui la conduit vers la cité de Paris.

Un messager a annoncé au roi Pépin que la reine

Blanchefleur est entrée dans son royaume. La nouvelle, qui lui fait moult joie, il court l'annoncer à la serve qui se trouvait dans sa chambre.

La serve fit semblant d'en éprouver du ravissement ; elle eut même un faux rire, mais en réalité, c'était de l'angoisse qu'elle avait au cœur. Après le départ du roi, elle reste toute interdite.

Puis, brusquement, elle se dresse et fait mander et sa mère Margiste, et son cousin Tybert. Tous les trois sont bientôt assis face à face, sur un tapis de la cham-

bre : « Mère, par le corps de saint Denis, la reine Blanchefleur est déjà dans le Cambrésis. Que pouvons-nous faire ? Je me le demande. Nos affaires vont au plus mal ; le temps presse. » En l'écoutant, Tybert est en grande angoisse.

« Tybert, dit la vieille Margiste, ne soyez pas ainsi dans l'épouvante. Voici un conseil qui me paraît bon. Ma fille fera semblant d'être malade et, quoi qu'il advienne, elle ne quittera pas son lit. Si nous pouvons tromper ceux qui viennent de Hongrie jusqu'à leur départ, tout sera sauvé, je vous en donne ma foi.

— Dame, dit Tybert, soyez bénie. Vous êtes bien habile dans les moments difficiles. Sans vous, nous n'aurions pas la valeur de deux parisis. »

Ils s'en tiennent d'abord au conseil de Margiste. La décision est prise : il n'y a qu'à préparer le lit.

La triste Aliste reste couchée, faisant la malade, avec moult hypocrisie, tandis que la vieille tremble de tous ses membres. Que Dieu et saint Denis les confondent toutes deux !

« Dieu, vrai roi, murmure sans conviction la vieille, quels sont les démons qui ont montré le chemin du palais du roi. Maudit celui qui a voulu ce voyage et ainsi a mis au cœur de ma fille accablement et tristesse ! »

Pour réconforter Aliste, qui en a moult besoin, elle vient s'asseoir auprès d'elle et lui dit : « Savez-vous à quoi je pense en ce moment ? Jadis une Juive m'apprit à me servir du poison mieux que femme qui soit de Paris jusqu'en Frise. J'en servirai à la reine Blanchefleur dans une poire ou une cerise. Je puis en recevoir rapidement. »

La serve l'entend et ne l'approuve pas.

« Dame ma mère, ce projet ne vaut rien. Je vais me lever ; nous nous préparerons à prendre la fuite. Je sais bien que les traces de mes pieds sur le sol pourront dévoiler mon passage sur la route. Et, à bien réfléchir et à dire vrai, je n'ai pas la moitié des talons de reine Berte aux grands pieds, celle que nous avons trahie, d'après vos conseils. Peut-être, et je vous le dis en toute bonne foi, vaudrait-il mieux partir avec des sommiers chargés de lingots d'or et d'argent. Nous laisserions les deux enfants au roi Pépin, leur père. Nous n'avons pas à nous en préoccuper ; certes, ils n'ont pas mérité le feu, comme nous.

« Vers le milieu de la nuit, mettons-nous en route pour la Pouille, la Calabre et la Sicile. Emmenons avec nous le cousin Tybert ; il a bien mérité qu'on ne l'abandonne pas. Avec les lingots que nous prêterons avec usure, nous pourrons vivre bien et longtemps. Autrement, je ne vois pas comment nous pourrions échapper à la mort. Si l'on apprend le détail de notre trahison, nous serons certainement brûlés.

— Par Dieu, dit la vieille, je suis loin de votre avis. Nous ne prendrons pas la fuite. Laissez-moi toute liberté d'action. J'empoisonnerai le roi Pépin, plutôt que de ne pas réussir dans notre entreprise.

— Et voici ce que je décide. Nous fermerons avec des étoupes les portes et les fenêtres, pour supprimer toute lumière dans la chambre. Ainsi, de vous qui resterez couchée, on ne verra ni yeux, ni nez, ni menton. De cette manière, nous réussirons.

— Dame ma mère, dit la serve, votre conseil sera entièrement suivi. Que Dieu nous aide à sortir, sans dommage, de cette redoutable aventure ! »

Le conseil de la vieille fut suivi à la lettre.

Margiste se dresse et, comme elle l'avait annoncé, ferme les portes et les fenêtres de la chambre et laisse à l'entrée le cousin Tybert.

Puis, avec hypocrisie et tout en pleurant, elle va trouver le roi Pépin. Dès qu'elle l'aperçoit, elle lui fait signe et lui confie, en grand secret, la maladie de la reine.

Pépin constate qu'elle verse des larmes : « Madame, qu'avez-vous ? Dites-moi toute la vérité. Ne me cachez rien.

— Sire, dit la vieille, tout va bien mal. Mme la reine est gravement malade, au point qu'elle guérira difficilement. Le mal vient de la frapper ; j'ignore sa véritable maladie. Mais mon avis est que la reine Blanchefleur arrivera trop tard. »

En entendant cette confidence, le roi est très tourmenté. La vieille se sépare de lui, montrant une vive douleur. Elle retourne près de sa fille, pour la réconforter.

Le secret n'est pas gardé. Le bruit se répand dans toute la ville, sur les places, les rues et les carrefours, que la reine est malade et sur le point d'aller à sa fin.

La joie est grande, parmi les pauvres, comme chez les riches ; par le Dieu qui créa toute chose, le ciel et la terre, maudit serait celui qui, par ses conseils et ses prières, arriverait à obtenir la guérison.

Et partout s'entend le même langage : « Dieu maudisse celui qui l'amena de Hongrie pour prendre contact avec la gent de France et lui donna pour mari le roi Pépin. Maudits soient son père et sa père. Jamais, dans le monde, femme plus déloyale, plus fausse, trouva à manger et à boire. »

Mais voici un messager qui vient d'entrer dans le palais royal pour saluer le roi et lui apporter des nouvelles de la reine Blanchefleur.

Il annonce que cette reine a l'intention d'entendre la messe à Montmartre.

Le roi prend congé du messager, puis monte à cheval. Derrière lui et ses deux fils, Rainfroi et Heudri, prennent place, dans un long et magnifique cortège, maints hauts personnages, des archevêques, des évêques, des princes, des ducs, des comtes, des barons. Tous, et pour lui faire honneur, vont à la rencontre de Blanchefleur, qui sera en grande douleur, quand elle aura des nouvelles de sa fille Berte. Pépin, lui aussi, est dans l'angoisse, parce qu'il faut annoncer à une mère la maladie grave de sa fille.

Le cortège va tout droit, sans s'arrêter, jusqu'à Montmartre. A la sortie du moutier, Blanchefleur voit devant elle tout ce beau cortège, qui s'avance pour la saluer gentiment. La reine rend le salut à tous, prend affectueusement le roi Pépin dans ses bras et, sans plus tarder, lui demande : « Par Jésus, le vrai souverain, que devient ma fille Berte ?

— Dame, répond Pépin, je ne puis rien vous cacher. En apprenant que vous veniez de Hongrie pour la voir et l'embrasser, elle a éprouvé une si grande émotion qu'elle a dû rester couchée au palais. Mais, pour vrai, elle ira mieux, après vous avoir vue. »

Blanchefleur l'entend ; son cœur est plein d'émotion et d'inquiétude parce que, sans qu'il y ait pour elle le moindre doute, c'est bien de sa fille Berte que le roi donne de si mauvaises nouvelles.

Elle ne parle plus, tant sa douleur est grande.

Pépin la prend alors par la main, tout doucement, et lui dit : « Madame, soyez sans crainte, je vous l'affirme à nouveau. Votre fille se remettra quand, après l'avoir vue, vous aurez le bonheur de la serrer bien fort dans vos bras. »

Mais voici venir les deux fils du roi, Rainfroi et Heudri, chevauchant sur la route. Ils descendent de cheval sous un arbre feuillu et vont saluer très courtoisement la reine.

« Madame, dit le roi, votre lignage s'est accru : ce sont mes deux fils, nés de ma femme Berte, votre fille. »

Blanchefleur les regarde longtemps et tout son sang reflue ; mais, chose étrange, son cœur n'est pas en joie ;

elle rend à peine le salut aux deux jeunes princes, qui s'inclinent devant elle.

Blanchefleur est une femme de grande bonté, et pourtant, en toute vérité, elle ne se penche pas pour embrasser les enfants du roi Pépin.

Tous ceux qui assistent à la scène ne comprennent pas. Ils disent les uns aux autres : « Elle doit être bien méchante et de mauvaise nature, cette femme qui n'embrasse pas ses petits-enfants. Alors il paraît naturel que sa fille, la reine, manque de douceur ; il n'est pas au monde de femme plus fausse qu'elle. On affirme qu'elle est gravement malade ; ce serait bien si cent mille diables venaient, cette nuit, lui rompre le cou. »

Tout le monde a quitté le moutier. Et, sans retard, le cortège se reforme. Le roi est suivi de tous ses barons, tous vêtus de moire. Il y a là des princes, des ducs, des évêques, des abbés. Les seigneurs de la maisnie de Blanchefleur sont à cheval.

Les gens, qui se pressent pour voir passer la reine de Hongrie la maudissent, en haine de la serve, à qui Dieu devrait envoyer tous les malheurs.

Blanchefleur s'avance au milieu de ce peuple qui la déteste. Elle a le cœur bien triste en se disant à elle-même : « Si ma fille avait été en bonne santé, elle se serait précipitée à ma rencontre ou m'aurait envoyé un messager. »

Tout le cortège descend vers Paris, la belle, l'admirable cité. Des hauteurs de Montmartre, Blanchefleur contemple, devant et derrière, en long, en large, un magnifique paysage.

Elle voit la large vallée de la Seine, la cité de Paris, ses églises, ses maisons, ses tours, la grande tour crénelée de Montlhéry ; elle aperçoit dans le lointain et Pontoise, et Poissy, et Meulant ; sur le grand chemin, Marly, Montmorency, Conflans, dans les prairies, Dammartin-en-Goële, moult bien fortifiée, et maintes autres cités que je ne nomme pas. Tout le pays qu'elle a devant elle lui fait moult grande joie.

« Mon Seigneur Dieu, créateur du ciel et de la terre, grâce à vous, ma fille est mariée au souverain du plus beau, du plus noble royaume qui existe dans le monde. »

Pépin, qui lui réserve les plus grands honneurs, l'accompagne et, en chemin, ne cesse de lui demander des nouvelles du roi Flore.

« Sire, il suit son destin, il est sain et de bonne santé. Mais s'il apprenait la maladie de sa fille, sa joie se transformerait en grande douleur ; il aime sa Berte plus que toute autre personne sous le ciel.

— Belle dame, dit Pépin, ne pensez pas à tout cela ; s'il plaît à Dieu, votre fille sera vite rétablie. Sa maladie partira après votre arrivée au palais et la joie centuplera ses forces. »

Blanchefleur entra dans la cité de Paris, superbement parée. Les dames et les jeunes filles apparaissaient aux fenêtres avec des manteaux, des robes magnifiques et des coiffures, moult richèment belles ; toute la grand'rue était tendue de précieuses courtines ; mais, le long des maisons, sur la chaussée, des bourgeois et des artisans, nombreux, parlaient tout bas, en cachette, de la fausse reine, ou lançaient contre Blanchefleur leurs malédictions.

La reine de Hongrie descend de cheval, au perron de la salle pavée ; le roi et les barons la conduisent dans le palais.

Mais voici venir Margiste, en pleurs, la figure en sang, parce qu'à dessein elle s'était égratigné la figure. Elle se présente brusquement, comme une folle, et se laisse choir aux pieds de la reine, pour avoir l'air de tomber en pâmoison.

Blanchefleur la reconnaît, la relève et la serre dans ses bras et, tout en pleurant, lui baise la figure.

« Margiste, crie-t-elle, où est ma fille Berte ? Je veux la voir.

— Madame, répond Margiste, c'est un bien grand malheur qui vous arrive, votre fille est dans un triste état. Dès qu'elle a connu l'heure de votre arrivée, elle n'a plus été, ni le soir, ni le matin, en bonne santé ; elle n'a plus bougé de son lit. Laissez-la reposer jusqu'à ce soir. »

Blanchefleur l'entend et se désole. Elle sort de la salle pavée.

Et la vieille s'en retourne auprès de sa fille, dans la chambre toujours sombre, avec portes et fenêtres fermées, tapissées de draps de soie et d'or.

Le roi Pépin est revenu près de Blanchefleur et la réconforte moult doucement.

« Sire, lui dit Blanchefleur, par le corps de saint Vincent, quand je me séparai du roi Flore, je lui promis formellement de lui ramener, avec votre assentiment, un de vos enfants pour en faire un roi de Hongrie.

— Dame, répond Pépin, je ferai tout, suivant votre volonté.

— Sire, de par Dieu, grand merci. »

Sans trop tarder, les tables sont dressées dans la grande salle. Autour du roi et de la reine Blanchefleur quatre cents chevaliers de France et de Hongrie prennent place pour le repas, qui fut splendide. Après le repas, la reine s'en va vite vers la chambre, où elle compte bien voir sa fille et l'embrasser.

La vieille se précipite au-devant d'elle et la retient par le bras : « Madame, par le corps de saint Clément, j'ai annoncé à la reine que vous ne viendrez pas avant la tombée de la nuit. Elle s'est endormie ; pour Dieu, n'entrez pas.

— Volontiers, dit la reine, qui ne voit dans cette insistance aucune malice ; je resterai là et, par le Dieu tout-puissant, je ne repartirai pas avant d'avoir vu ma fille Berte et sans l'avoir baisée doucement et souvent sur la bouche. Le Seigneur Dieu ne me refusera pas cette grande joie. »

La vieille éprouve une telle épouvante que son cœur est sur le point de se briser.

Sur une très belle pelouse, sous un arbre, à faible distance de la chambre de l'horrible serve, Blanchefleur s'assied, triste et dolente. Elle ne cesse de se lamenter et de pleurer.

Que serait-il arrivé, Seigneur Dieu, si, à cet instant, elle eût pu se douter des terribles souffrances de sa fille Berte, par le fait de l'odieuse vieille, du traître Tybert et de la triste Aliste ?

Que Dieu de toute justice envoie aux trois traîtres un grand désarroi, qui sera vraiment le prix d'un criminel marché !

Blanchefleur, assise sous l'arbre de la pelouse, appelle Margiste bien vite : « Dites-moi, par le corps de saint Marcel, qui a forgé contre ma fille une abominable machination ? Dans Paris et dans tout le royaume, tout le monde se plaint d'elle, les vieux et les jeunes, les riches et les pauvres, les bourgeois et les paysans. Sachez que ce que l'on raconte est loin d'être beau et qu'une femme détestée est un moult vilain objet.

— Madame, répond la vieille, maudite soit la chair de celui qui vous a conté tout cela ; car jamais sous le ciel, il n'y eut meilleure reine ; tout ce qu'elle a fait, ce n'était que par plaisanterie ou badinage. »

Blanchefleur n'a nullement envie de plaisanter et voici que brusquement elle demande à la vieille :

« Mais où est dame votre fille, la belle Aliste ? »

La vieille, surprise, hésite, ne trouve pas les mots à répondre, puis, finalement, se résigne à déclarer :

« Ma belle dame, je vous dois toute la vérité. Sachez qu'un jour, étant à cheval, elle tomba et mourut en quelques heures. D'après une grosseur qui lui était venue sur la joue droite, si elle avait vécu, elle eût été certainement lépreuse. Mon cœur en souffre toujours dans ma poitrine. Elle était si plaisante, si gracieuse. En grand secret, je la fis enterrer près d'une antique chapelle, pour que les gens ignorent le lieu de sa sépulture. »

Ainsi parla la vieille, mais la sinistre plaisanterie ne sera plus de longue durée.

Sans rien vous cacher, Blanchefleur resta deux jours sur la pelouse, sans pouvoir entrer dans la chambre de la fausse reine. Tybert et la vieille cherchaient et trouvaient de nouvelles excuses pour l'en écarter.

Un soir, à l'heure du souper, la reine, qui en avait assez de souffrir et de se lamenter, prit la décision de voir sa fille. Malgré la surveillance de Tybert, une jeune femme de bonne condition, que le roi avait fait élever, ouvrit brusquement la porte de la chambre à Blanchefleur. Elle avait à la main un flambeau, parce que, avec les fenêtres fermées, l'obscurité était complète.

La vieille l'aperçoit, se précipite sur elle et la frappe brutalement d'un coup de bâton.

« Va-t'en, triste fille, ne vois-tu pas que la reine, gravement malade, ne peut supporter la lumière et qu'elle veut dormir. »

La jeune femme, la figure en sang, se met à trembler, puis prend la fuite.

Blanchefleur en a grande douleur. Mais elle a toujours le désir d'embrasser sa fille. Elle profite du départ de la vieille et, dans l'obscurité, elle s'approche lentement, péniblement, du lit et arrive enfin à toucher de ses mains celle qu'elle prend pour sa fille Berte.

« Mère, dit la serve avec une voix si faible que Blanchefleur a peine à l'entendre, soyez la bienvenue ! Comment va le roi Flore, mon père, que Dieu le bénisse !

— Ma fille, il allait bien quand je le quittai, il y a quelques jours.

— Dame, ma mère, que Jésus en soit loué ! je n'ai pas le loisir de vous faire fête et regrette de ne pas me réjouir comme je le souhaiterais. Je souffre de tant de maux que je crois aller à ma fin. »

La serve avait grande frayeur, plus que je ne saurais vous le conter. Elle tremblait de tous ses membres et essayait de s'éloigner, toujours un peu plus, de Blanchefleur.

« Ma fille, fait Blanchefleur, mon cœur se déchire, parce que, malgré mon moult grand désir, je ne puis ni vous voir, ni vous embrasser.

— Dame, ma mère, dit la serve, je souffre un tel martyre que mon visage est devenu aussi jaune que de la cire. Mais bien plus que tout cela, les médecins affirment que la clarté et la conversation empirent mon mal. Je ne puis vous voir et en ai vive douleur. Toute ma pensée va aussi vers mon père et je ne sais que devenir. Je vous demande, étant près de la mort, de me laisser me reposer et Dieu vous en récompensera. »

Blanchefleur entend la serve, qui veut à tout prix l'éloigner et du lit, et de la chambre. Elle en est douloureusement surprise.

« Mon Dieu, qui n'avez jamais menti, venez à mon aide. Ce n'est pas ma fille que j'ai trouvée ici. Par le corps de saint Rémi, même à demi morte, elle se serait dressée pour m'accueillir et m'embrasser. »

Sans plus tarder, elle se dresse et va ouvrir la grande porte de la chambre pour appeler les gens de sa maisnie qui étaient là à l'attendre : « Accourez, accourez tous, s'écrie-t-elle, je vous en supplie. On m'a trompée. Ce n'est pas ma fille, ce n'est pas ma fille ! »

Tybert, qui tenait la porte, rougit d'épouvante et recule.

La reine Blanchefleur, sans plus attendre, fait tomber, et sa maisnie suit son exemple, et les tapis, et les draps d'or, qui cachaient la clarté du jour.

La vieille entend tout le bruit et se précipite : « Pour l'amour de Dieu, dit-elle, un peu de pitié. Voulez-vous tuer la reine malade ? Depuis trois jours, elle n'a pas pris la moindre nourriture, le moindre instant de repos.

— Tais-toi, malheureuse, s'écrie Blanchefleur, je ne ferai plus rien pour toi ; tu m'as trahie ! »

Toutes les fenêtres s'ouvrent, à la grande stupeur de Tybert et des servantes d'Aliste.

Blanchefleur s'approche à nouveau du lit et tire à elle, brutalement, des deux mains, les couvertures et découvre ainsi la serve. Elle voit les pieds d'Aliste et n'a plus le moindre doute. Tout son cœur en est bouleversé.

La serve prend un drap et saute de son lit. Blanchefleur la saisit et la jette par terre, en tenant entre ses mains les tresses de ses cheveux blonds.

En entendant les cris de la serve, tout le monde accourt dans la chambre. On peut tirer des mains de Blanchefleur la fausse reine, qui s'enfuit dans une pièce voisine où des serviteurs la recueillent.

Et Blanchefleur crie : « Trahison ! trahison ! Ce n'est pas ma fille ; c'est la fille de Margiste, que j'avais nourrie dans mon palais. Ils ont tué Berte, ma fille, que j'aimais tant. »

Un messager court chez le roi pour lui annoncer tout ce qui vient de se passer.

Apprenant la nouvelle, Pépin arrive précipitamment, accompagné de nombreux barons. Le roi et les seigneurs sont absolument atterrés.

Blanchefleur, en grand émoi, voit le roi et lui crie en pleurant : « Franc roi, où est ma fille, la blonde, la courtoise Berte que j'avais moult bien élevée ? Si je n'ai bientôt de ses nouvelles, je deviendrai folle. Ce n'est pas ma fille qui était couchée dans la chambre, mais c'est la fille de Margiste, que Dieu la maudisse ! Elle a pris la fuite, faites courir après elle. »

A peine a-t-elle prononcé ces paroles qu'elle tombe en pâmoison dans la chambre voûtée.

Le roi, pris de pitié, la relève et verse des larmes.

Il connaît maintenant toute la tromperie et voit clairement comment Berte a été remplacée, au soir du mariage, par la serve, en somme, comment on l'a trahie.

Blanchefleur est transportée, toute pâmée, par les chevaliers de sa maisnie ; Pépin lui-même a telle douleur qu'il est sur le point de s'effondrer sur le pavé de la chambre.

« Ma belle Berte, j'ai été pour vous un bien mauvais compagnon. Mais par Dieu, le Fils de Sainte Marie, ceux qui, par leur fausseté, vous ont trahie, seront sévèrement châtiés. Je tiens pour vrai que le félon ou vous a étranglée, ou vous a tranché la tête, en accord avec Margiste. Que Dieu les maudisse ! Avant demain, à l'heure des complies, ils sauront la grande erreur qu'ils ont commise. »

Le roi, rouge de colère, a un tel deuil au cœur, que son entourage se demande s'il ne perdra pas la raison. S'il pouvait être sûr, un seul instant, que la reine Berte est vivante, quelque part dans le royaume ou dans le monde, il partirait sur l'heure à sa recherche.

Pépin fait appeler quatre sergents et leur donne l'ordre de mettre la main sur Margiste. Les quatre hommes sont heureux d'accomplir pareille besogne. Ayant découvert la vieille dans un coin du palais, ils la prennent par les bras, par les pieds ou par les plis de la robe.

« Vieille horrible, dit le roi, celui ou celle qui t'a poussée à la trahison te conduisit par cela même à la honte. Sache bien, par le corps de Notre-Seigneur, que tu m'as vilainement, odieusement trompé et que, pour vrai, tu seras brûlée. »

Entendant les paroles du roi, la vieille frémit d'épouvante.

Le roi a quitté sa chambre et vient prendre place sur un siège, dans la grande salle, où il a mandé tous ses barons.

Dès qu'ils furent tous groupés autour de lui, Pépin

leur déclara que ce serait de bonne justice si Margiste était livrée au feu.

« Sire, dirent les barons, pourquoi ne ferait-on pas avouer à cette odieuse criminelle le sort qu'elle a réservé à la reine Berte ! A-t-elle été noyée ou étranglée ? »

Le roi répond qu'il en sera ainsi. Sur l'avis de tous, il fait mander Margiste.

En dehors du palais, ce jour-là, le temps fut affreux ; il y eut moult éclairs et coups de tonnerre. La vieille, entourée de sergents qui l'avaient saisie sur l'ordre du roi, fait son apparition. Elle était moult dolente et dans une véritable terreur.

Le roi est assis dans la grande salle, où brillent la soie et l'or. Il interroge la vieille et lui demande si elle s'appelle bien Margiste, et si la fille qui se faisait appeler en France Berte n'était pas celle qui, née à Valgiste, avait reçu au baptême le nom d'Aliste.

« Misérable, pourquoi as-tu trahi Berte, la douce et belle dame ? Pourquoi, par grande fausseté, as-tu fait coucher à mes côtés ta propre fille, une serve ? Avoue-le donc ! Avec une pareille trahison, tu serais tout à fait digne d'appartenir à la race d'Antechrist. »

Tous ceux qui sont autour du roi n'ont plus le moindre doute sur l'abominable trahison de Margiste, de Tybert et de la fausse reine.

Mais ils se disent entre eux : « Ah ! Dieu, bon roi. pourquoi ont-ils pu cacher aussi longtemps le meurtre atroce de la reine Berte ? N'hésitez plus maintenant ; livrez-les sur-le-champ au supplice qu'ils ont bien mérité. Si, par pitié, vous ne le faites pas, malheur à celui qui restera à votre service !

— Je vous donnerais raison, dit le roi, si bientôt le dos du traître Tybert ne touchait pas le sol de la grande rue. »

Et les barons, entre eux, ne cessent de répéter : « Vous fûtes bien folle, triste vieille, de faire de votre fille Aliste une reine de France. Vous vous êtes grossièrement trompée. Mais vous avez aussi tué notre belle et chère dame. La perte est cruelle pour nous tous. Bientôt vous serez punie, comme vous le méritez bien. Vous avez, de manière étrange, récompensé la reine Blanchefleur, femme de grande bonté, qui jadis vous sauva de la pauvreté et du servage. »

Le roi a profonde haine pour Tybert et les deux serves. Les sergents font avancer près du roi d'abord la vieille. On lui saisit les deux pouces dans un trou de tarière et on les serre moult douloureusement pour la faire avouer.

« Ha ! roi Pépin, fait la vieille, je vous en supplie par le Dieu tout-puissant, libérez-moi mes mains et bien vite je vais tout avouer. »

Sans plus tarder, la cheville est enlevée. Et alors, devant toute l'assistance, la vieille conte, dans les moindres détails, la trahison, du commencement à la fin. Elle déclare même qu'elle eût voulu empoisonner et Pépin, et Blanchefleur.

Par droit jugement, elle fut condamnée à être brûlée.

Et puis ce fut au tour de Tybert de prendre la parole : « Sire roi, par le corps de saint Vincent, sachez en toute vérité que je n'ai pas tué Berte. Sans mentir, je l'aurais tuée ; le sergent Morans m'en empêcha. »

Alors, il conta à tous, et bien ouvertement, l'aventure et comment Morans sauva la reine : « Nous la laissâmes seule dans un bois, où il y avait moult bêtes sauvages, des ours, des sangliers, des lions. D'après moi, elle est morte. »

Il leur conta aussi qu'ils apportèrent à Margiste et à la fausse reine, comme présent, le cœur d'un porc. Enfin, il leur fit savoir qu'ils lièrent Berte avec une corde pour l'empêcher de parler ou de crier, qu'ils la frappèrent souvent.

Tybert avouait ainsi complètement son crime.

Tous ceux qui assistaient au jugement pleuraient de pitié.

Alors s'avança la serve Aliste, que Dieu la maudisse !

« Sire, fait-elle, vous voyez que le crime ne vient pas de moi. C'est ma triste mère qui, la première, a voulu et préparé l'horrible aventure. Que le Seigneur Dieu, qui est au firmament, la confonde ! »

Après le jugement et sans plus tarder, les hommes du roi Pépin préparent le supplice des traîtres. Ils apportent des branches d'arbres, des ronces, des épines et allument un grand feu.

Il faut que la triste vieille paie le prix de sa trahison. Je ne vous cacherai pas qu'il y eut moult larmes versées, parce que, tout en préparant et en attisant le feu, toute une belle jeunesse n'oubliait pas la victime de l'horrible trahison, la reine Berte.

C'est Margiste qu'ils jetèrent dans le bûcher. Quand Aliste vit sa mère disparaître dans les flammes, elle fut prise d'épouvante et de peur, elle se prosterna sur le sol.

Après le supplice de la vieille, les gens du roi traînèrent Tybert sur le pavé de la grande rue, puis allèrent l'accrocher au gibet de Montfaucon.

Il fallut enfin se prononcer sur le sort d'Aliste.

Les barons, qui avaient assisté au jugement, s'approchèrent du roi Pépin et lui dirent : « Un roi, sans contredit, doit, en toutes circonstances, être juste et grand. Si vous voulez traiter la servante, suivant notre conseil, laissez-la vivre. Elle vous a donné deux enfants, vous ne pouvez pas vous désintéresser de leur sort. Par droit, nous l'affirmons, à partir de ce jour, elle ne vous adressera plus la parole et ne fréquentera plus la moindre compagnie en ce monde. »

Quand le roi entendit ces paroles, il se prit à soupirer.

« Barons, par le corps de saint Omer, la serve eût mérité d'être lapidée et détruite. Mais je ne tiens pas à aller contre votre jugement. »

Entendant ces paroles, Aliste se prit à louer Dieu et s'adressant au roi Pépin : « Sire, par Dieu, je vous supplie de m'accorder une faveur. Faites-moi entrer à Montmartre, dans un monastère. Je puis être religieuse, car je sais lire et chanter. Pour l'amour des enfants que vous m'avez donnés, vous devez me ménager un peu. Laissez-moi un peu de l'avoir que j'ai pu amasser. Quand mes fils seront grands, je les marierai et, si cela vous plaît, vous les armerez chevaliers. »

Le roi ne put pas refuser, et la chose se réalisa, comme vous l'entendrez conter.

La serve fit porter à Montmartre, sur des sommiers, des chars ou des charrettes, tout son avoir. Il fallut huit jours pleins pour transporter or, argent, vaisselle et toutes autres richesses que je n'ai pas à détailler ici.

Le roi était de bonne nature, il n'y eut jamais ni roi, ni empereur plus noble. La perte de Berte lui était particulièrement cruelle. Il essayait de réconforter la reine Blanchefleur.

« Ah ! ma fille, se disait-elle à elle-même, que dira votre père, qui vous envoya jadis en France si belle, si courtoise et plaisante ? Vous n'aviez que des bontés pour les pauvres gens. Le roi Flore a déjà perdu, et votre sœur, et votre frère ; que Dieu, le vrai Sire, le Souverain Maître, ait pitié de leurs âmes.

« Demain, avant la clarté du jour, je quitterai ce pays pour aller retrouver mon seigneur, votre père. »

Près de Blanchefleur, le roi Pépin est assis, triste et pensif ; il sait que les gens du royaume regrettent beaucoup que la serve, qui les fit tant souffrir, n'ait pas été brûlée et mise au tombeau.

Blanchefleur repart pour la Hongrie : elle annonce au roi Flore l'horrible nouvelle.

La reine Blanchefleur ne peut pas demeurer au pays de France, le roi Pépin, très courtoisement, ne fait aucun obstacle à son départ.

Le lendemain matin, au point du jour, on plaça la reine de Hongrie dans une litière, entre deux superbes palefrois de grand prix. Le voyage fut pénible. La reine chevauchait sans joie, à cause des souvenirs qu'elle laissait derrière elle.

Elle s'en va par Saint-Denis ; le roi l'accompagne jusqu'à Senlis. Ce n'est qu'après une longue journée que le roi, triste et dolent, se sépare d'elle.

Se parlant à elle-même : « Ah ! mère de Dieu, combien est grand mon malheur. Berte, ma belle fille, que vous étiez pleine de gentillesse, de douceur et de franchise ! Votre père, par moi, apprendra la triste nouvelle, lui qui vous aimait de tout son cœur et bien sincèrement. Je crois que, de désespoir, il s'arrachera sa barbe grise, lorsqu'il connaîtra les détails de la trahison. Il n'y aura pas d'homme plus dolent, d'outre-mer jusqu'en Frise. Hélas ! pourquoi mon cœur n'éclate-t-il pas dans ma poitrine ? Je n'aurai plus de joie dans ce monde, par le corps de saint Denys. »

Les Hongrois chevauchent rapidement, sans faire étapes, à travers maintes terres et maintes forêts. Ils ont si bien avancé qu'ils arrivent à la Saint-Jean dans leur pays de Hongrie.

Ce fut une véritable stupeur pour le roi Flore, quand il reçut les nouvelles de sa fille. Il accueillit sa douce dame, la reine Blanchefleur. Tant leur émotion était grande qu'ils ne purent d'abord prononcer la moindre parole.

Tous deux, ils se serrent dans les bras, puis, brusquement, ils s'effondrent sur le sol. Les habitants, venus nombreux à la rencontre de leur reine, s'empressent de les relever.

« Ah ! Dieu, dit le roi Flore, quel malheur ! nous avons perdu notre fille Berte !

« Beau Sire Dieu, puisqu'il vous plaît de nous envoyer cette épreuve, soyez-en loué. Quand il vous plaira, vous nous en récompenserez. »

Après le retour de la reine, tout le pays de Hongrie apprit la nouvelle de la trahison. Il y eut partout des scènes de désespoir. Dans les rues des villes, les bourgeois et les artisans, les paysans, sur les places des villages, pleuraient à chaudes larmes, ou même s'arrachaient les cheveux. Ils avaient tous le souvenir qu'avant son départ de Hongrie, Berte avait chaussé et vêtu nombre de pauvres et leur avait distribué une part de ses richesses.

« Que Dieu, disaient-ils, maudisse et la serve, et Tybert, et Margiste ! Ils ont bien tué la joie dans tout le royaume. Que Dieu sauve l'âme de notre Berte ; les yeux n'en verront pas de meilleure. » Elle avait eu tant de bonté que les sujets du roi Flore l'appelaient, dans tout le pays, la Débonnaire.

Blanchefleur a tout conté au roi sur la trahison de Margiste, sans oublier que la serve avait couché dans le lit du roi à la place de la reine ; que Tybert, par une corde serrée dans la bouche et autour de la tête, l'avait empêchée de crier ; que ce traître l'eût étranglée ou lui eût tranché la tête sans l'intervention du sergent Morans ; que Berte fut abandonnée dans la forêt, où les bêtes sauvages l'ont sans doute dévorée.

Tout en pleurant, et sans prononcer la moindre parole, le roi écoute le récit de la reine.

Le roi Pépin mande à Paris Morans et les deux sergents et les envoie dans la forêt du Mans à la recherche de Berte.

Après le départ de Blanchefleur, qu'il recommanda au Roi du Ciel, Pépin revint à Paris, où il manda Morans et ses deux compagnons. Tous trois répondirent à son appel.

« Morans, dit Pépin, je veux toute la vérité. Vous étiez près de la reine quand elle fut amenée par le traître Tybert dans la forêt. Je sais bien que, sans vous, elle eût eu la tête tranchée. Je crains que les bêtes sauvages ne l'aient tuée et dévorée.

« Retournez dans la forêt du Mans pour demander, à travers le pays, si personne n'a revu la reine depuis le temps où vous l'avez laissée.

« Par la Vierge Marie, si quelqu'un retrouvait ou la robe qu'elle portait, ou tout autre objet, je l'aimerais plus que tout être au monde et l'embrasserais du matin au soir. Par le Dieu qui fit le ciel et la terre, sachez-le bien, vous serez largement payés de votre peine.

— Sire, nous le ferons, puisque cela vous plaît. »

Le lendemain, au lever du jour, les trois sergents quittent Paris ; ils vont à travers champs, villes et bois. Ils arrivent en fin à la grande vallée où ils avaient vu Berte pour la dernière fois.

Dans toute la région, la nouvelle se répand que l'on recherche Berte, qui s'est égarée dans la forêt du Mans.

Morans et ses compagnons cherchèrent Berte pendant quinze jours, sans retrouver la moindre trace de son passage.

Simon apprend à Constance et à Berte le voyage de Morans dans la forêt du Mans.

Simon raconte à sa femme Constance ce qu'il avait lui-même appris sur les recherches de Morans et de ses compagnons. Tout en parlant, il ne pouvait cacher son émotion et son angoisse.

« Simon, dit Constance, vous avez trouvé Berte juste dans les circonstances que l'on précise dans tout le pays. Pas d'hésitation, allons trouver Berte pour lui parler de ce que l'on raconte.

— Je suis de votre avis, répond Simon. »

En grand secret, ils font venir Berte. C'est bientôt un long entretien à trois dans un endroit très retiré.

Simon, avec toute sa franchise, conte à Berte et à Constance le malheur qui arrive au roi Pépin.

« Berte, si vous êtes la reine de France, dites-le nous, je vous en supplie. »

Berte entend Simon et est en moult grande angoisse. « Sire, déclare-t-elle, tenez pour vrai que je ne suis pas la reine de France. » Mais, secrètement, elle se dit à elle-même : « Mon Dieu, je suis dans la bonne voie ; j'ai fait un vœu, je ne veux pas le fausser. »

Puis, s'adressant directement à Simon : « Pourquoi vous le cacher, si j'étais la reine, ce serait grande folie de ne pas le déclarer. Vous pensez que je préférerais l'être que de rester dans ce bois. » En somme, Berte fait l'impossible pour inspirer entière confiance à Simon et à sa femme Constance.

Morans et ses deux compagnons, de retour à Paris, déclarent au roi qu'ils n'ont rien appris de nouveau au cours de leur voyage dans la forêt.

Les trois sergents ont chevauché à travers la forêt, demandant à tous et partout des nouvelles de la reine Berte. Ils n'ont absolument rien appris et reviennent à Paris, le cœur bien attristé.

Ils retrouvent le roi Pépin, avec le même chagrin. Morans s'approche de lui en pleurant.

« Sire, par le corps de saint Amand, il n'y a pas eu dans la forêt homme vivant, chevalier, bourgeois, vilain, paysan, charbonnier, bûcheron, berger, homme d'église ou de chapelle, à qui nous n'ayons conté l'histoire de Berte. Nous n'en savons pas plus au retour qu'au départ. »

Le roi entend Morans et se met à soupirer. Les trois n'ont plus qu'à se retirer, le cœur plein de tristesse.

Ils eurent tant de douleur d'avoir un jour abandonné leur reine dans la forêt, qu'ils prirent la croix et allèrent au-delà des mers pour faire pénitence.

Des trois sergents, deux moururent à la Croisade. Que Dieu sauve leurs âmes ! Seul Morans revint.

Le roi Pépin part pour la chasse ; il rencontre Berte dans la forêt du Mans.

Un jour, le roi Pépin décida de faire un long voyage. Il irait voir la ville d'Angers qu'il ne connaissait pas.

Le duc Namles, qui avait le très grand désir d'être armé chevalier, vint le trouver avec douze hommes de sa maisnie :

« Beau sire, déclara le duc Namles, nous venons

d'Allemagne, terre voisine de la terre française. Mon père, le duc de Bavière, nous envoie en France pour être armés chevaliers. Mais en se séparant de nous, il nous a recommandé de nous faire adouber par vous seul. Gentil roi, nous ferons ce qu'il vous plaira ; chacun de nous se mettra en devoir de vous servir. »

Pépin, en entendant les paroles du duc Namles, s'en trouva très flatté. Il les prit à son service et affirma qu'il les adouberait chevaliers à la Pentecôte, dans la cité du Mans.

Le duc et les douze damoiseaux s'inclinèrent devant le roi de France. A dater de ce jour, le duc devint le premier à la Cour. Plus tard, il devait donner moult bons conseils à Charlemagne.

A la Pentecôte, Pépin se rendit dans la cité du Mans. Il adouba Namles et ses compagnons, mais aussi cent hommes de sa terre.

Pour faire honneur aux nouveaux chevaliers, il fit dresser la quintaine dans un pré couvert de fleurs. Le duc Namles et ses compagnons brillèrent tout particulièrement dans ce jeu de chevalerie. Après la quintaine, Pépin tint sa Cour dans le pré sous un pin feuillu, groupant, autour de lui, les meilleurs et les plus intimes de ses barons.

« Pourquoi, dirent-ils au roi, par le corps de saint Rémi, ne prenez-vous pas une nouvelle reine ?

— Seigneurs, voici ce que j'ai à vous répondre. J'ai beaucoup aimé ma première femme. Il ne plut pas à Dieu de me donner un héritier. J'en pris une seconde, Berte la Débonnaire, que, pour mon malheur, je n'ai conservée que quelques heures. J'ai le cœur tellement triste quand son souvenir me revient que je pense me donner la mort. Mais puisque cela plaît à Dieu, qui jamais ne mentit, et à sa douce Mère, je me résigne et leur rend grâces de tout ce qui m'arrive. Mais, je vous l'affirme, je ne prendrai pas une autre femme. »

Les barons entendirent le roi, furent surpris, mais n'insistèrent pas. Tout le monde se tut.

A l'heure du souper, tout le monde rentra dans la cité du Mans. Le roi devait y séjourner jusqu'au mercredi.

Le jeudi, il alla chasser dans la forêt. A sa grande joie, les seigneurs lancèrent un beau cerf. Avec son cheval de chasse, il le poursuivit à travers bois, si vite et si loin, qu'il perdit de vue tous les gens de sa maisnie. Il se trouva bientôt seul, égaré dans la forêt.

Mais ici laissons pour un temps Pépin et revenons à Berte.

Depuis longtemps, nous le savons, elle était hébergée dans le manoir de Simon le voyer, où elle était moult bien soignée et bien nourrie par Constance et ses deux filles.

Tout près de la maison, au bord d'une prairie, se dressait une chapelle de grande antiquité, que des ermites avaient construite. La chapelle dépendait d'une abbaye voisine.

C'est là que Simon et les gens de son entourage allaient, le dimanche, entendre la messe et, dans la semaine, faire oraison.

Un jour, Berte, en compagnie de Constance et de ses filles, se rendit à la chapelle. Elle avait l'habitude de s'isoler derrière l'autel pour prier de tout son cœur, et Dieu et Sainte Marie, de donner à son père et à sa mère une vie heureuse. Ce jour-là, elle eut une prière fervente pour le roi Pépin. Elle n'ignorait pas la grande tristesse et l'angoisse de tout le royaume.

Constance et ses deux filles quittent la chapelle, convaincues que Berte rentrerait seule au manoir.

Berte reste seule dans la chapelle. Que Dieu lui vienne en aide, parce qu'elle va connaître une triste aventure.

Dans son coin, derrière l'autel, elle termine la lecture de son psautier et de ses heures, se prosterne devant le tabernacle, puis sort et s'en va vite, bien vite, à travers le bois, parce qu'elle ne tient pas à se faire attendre au manoir.

A cette heure, le roi Pépin chevauchait pour retrouver les gens de sa maisnie. Au détour d'un sentier, il aperçoit la jeune Berte qui sortait de la chapelle. Il s'en approche, la salue très courtoisement ; la jeune fille, toute surprise, lui rend son salut. « Ne craignez rien, dit Pépin, je suis au service du roi de France ; j'ai perdu ma route et en ai le cœur bien triste. Connaîtriez-vous dans le bois un manoir où je pourrais obtenir des indications sur la voie à suivre ?

— Seigneur, répond Berte, par le Dieu tout-puissant, à deux pas d'ici, demeure Simon le voyer, un vrai prud'homme ; il vous renseignera, j'en suis sûre.

— Ma belle dame, je vous rends grâce. »

Pépin voit le visage vermeil et coloré de la jeune fille et tout son cœur se prend d'amour pour elle. Il saute brusquement de son cheval.

Berte ne s'émeut point d'abord, parce qu'elle ne trouve pas le moindre mal à se trouver toute seule en présence d'un homme, en pleine forêt.

Le roi lui adresse la parole de façon très courtoise ; Berte lui répond très sagement, mais avec grande retenue.

Mais, brusquement, Pépin se décide à la prendre dans ses bras. La jeune fille, bouleversée, se dégage et prie le Seigneur, qui est dans le Ciel, de venir à son aide.

Le temps est beau et clair ; il ne tombe pas la moindre goutte de pluie, il n'y a pas le moindre souffle de vent.

Berte est si jeune, si jolie, si dolente, que le roi n'hésite pas à lui dire :

« Vous viendrez avec moi en France, qui est une terre noble et douce. Je vous donnerai le plus beau bijou que vous puissiez désirer. Vous serez ma femme et personne au monde, en dehors de moi, ne sera plus rien pour vous. » Mais Berte ne donne pas plus de valeur à ces paroles qu'à une feuille de menthe. Pourtant, en son cœur, elle se fait les plus grands reproches. Elle se désole maintenant d'être restée seule dans la forêt.

Le roi remarque avec tristesse l'épouvante de Berte.

« Homme franc et loyal, dit-elle, au nom du Seigneur, laissez-moi partir ; vous me faites rester ici trop longtemps. Mon oncle Simon m'attend ; il lui faut man-

ger sur l'heure, avant de partir pour le Mans. Il doit apporter des vivres à la maisnie du roi de France.

— Belle dame, dit Pépin, pourquoi êtes-vous seule dans ce bois, je vous le demande.

— Je ne tiens pas à vous cacher la vérité. Hier matin, j'étais venue prier dans cette chapelle, que vous apercevez, avec mon oncle et tous les siens. Après la messe, je me suis retirée dans un coin pour y lire les heures ; les autres sont partis et m'ont laissée seule. »

Le roi voit ce beau visage souriant, coloré, entend cette voix claire et douce. Il se souvient alors de la maudite serve, qu'il a laissée à Paris, et se dit à lui-même que jamais femme ne pouvait lui ressembler davantage. Et pourtant Berte lui paraît encore plus belle à regarder. Rien au monde désormais, sinon la mort, ne pourra l'empêcher de conquérir son affection.

« Belle dame, dit-il, par le corps de saint Omer, je vous engage ma foi. Je vous donnerai tout l'argent que vous demanderez ; vous me suivrez en France. Vous avez devant vous le grand Maître du roi qui gouverne le royaume ; il n'y a pas, près de lui, d'homme plus puissant que moi. D'ailleurs, c'est chose décidée et il ne faut plus y revenir. Quoi qu'il doive m'en coûter, vous serez ma femme. C'est ma volonté. »

Berte se prend à soupirer, même à verser d'abondante larmes, parce qu'elle ne voit pas d'autre moyen d'échapper au danger qui la menace.

« Seigneur, dit-elle au roi, je vous le demande en grâce, au nom du Dieu qui souffrit et mourut sur la sainte croix, pour le salut de son peuple, ne touchez pas à la femme de Pépin. Je suis la fille du roi Flore et de la reine Blanchefleur. Je vous l'affirme en toute vérité. »

Le roi l'entend, change de couleur et sa joie est si grande qu'il ne peut prononcer la moindre parole.

« Sire, dit Berte, au nom de Dieu et de Marie, chassez de votre cœur toute mauvaise pensée ; je vous supplie de ne porter aucune atteinte à son honneur. Vous avez devant vous la reine de France, personne ne saurait en douter. Je suis femme du roi Pépin ; le roi Flore est mon père ; ma mère est Blanchefleur, qui n'est ni ambitieuse, ni intéressée, mais douce, débonnaire et de franche noblesse. Dame de Saxe est ma sœur, j'ai un frère en Pologne, duc de Grodno. Si vous ne teniez aucun compte de mes supplications, je préférerais mourir, et Dieu, sans le moindre doute, aurait pitié de mon âme. »

Quand le roi entend affirmer, par vérité, qu'elle est reine de France, il a le cœur en grande angoisse : « Dame, s'il en est ainsi, je ne vous ferai aucun mal et cela pour mille marcs d'or. » Berte accueillit ces paroles avec joie et remercia Dieu. Et tous deux prirent le chemin du manoir.

Tout en marchant, le roi demanda mille détails sur son aventure, mais Berte lui cacha bien des choses.

Ils arrivent enfin tous deux à l'entrée du manoir de Simon.

Simon, Constance et leurs deux filles, qui avaient pleuré à cause de la longue absence de leur chère dame, avaient décidé de partir à sa recherche.

Ils étaient sur le point de quitter leur maison, quand ils virent un homme la ramener. Ils se doutèrent, à voir sa figure toute bouleversée, que bien de fâcheux événements avaient pu se produire.

Pourtant, au salut que le roi leur fit, Simon et les siens comprirent que l'homme qui, à cette heure, se dressait devant eux, était du plus grand lignage.

Pépin leur déclara qu'il était de la maisnie du roi, en la cité de Paris, et que, pour poursuivre un cerf, il s'était égaré dans la forêt. Après avoir entendu ces paroles, ils lui réservèrent les plus grands honneurs.

De longtemps, le roi avait souhaité en son cœur de savoir si Berte était femme de grande vertu. Il prit

Simon à part et le conduisit à quelque distance du manoir. Après avoir recueilli toute sa pensée sur Berte, il entra dans la maison et voulut avoir le sentiment de Constance.

« Sire, dit Constance, nous l'avons gardée longtemps avec nous. Par sa bonté, elle a conquis notre affection et, sur le salut de mon âme, je l'aime autant et peut-être plus que mes deux filles.

— Il y a à peine un instant, elle se plaignait beaucoup de vous parce que vous l'aviez prise dans vos bras. Mais, par la foi que je dois à mon mari, je ne veux rien vous cacher ; si vous n'étiez pas de la maisnie du roi de France, vous paieriez lourdement la peine que vous lui avez causée. Je ne connais pas au monde de femme plus vertueuse ou qui se soit plus complètement donnée à Dieu. »

Pépin regarde Constance et lui dit :

« Madame, je vous en supplie, ne me cachez rien. Sachez que dans la forêt, elle m'a livré un secret que, s'il était vérité, vous seriez bien heureuse de l'avoir hébergée sous votre toit. Elle m'a déclaré qu'elle s'appelait Berte, qu'elle était, devant Dieu, la femme du souverain de la douce France. Est-ce vrai, dites-le moi ; mais gardez-vous d'un mensonge, vous pourriez en être punie et déshonorée pour toujours. »

Simon et Constance, surpris, changent de couleur.

« Sire, dit Simon, puisque la chose s'est passée comme elle-même vous l'a déclaré, que Dieu et sa Mère adorée en soient remerciés ! En toute vérité, nous l'ignorions. »

Alors Simon conte au roi qu'un jour il a trouvé sur son chemin Berte, torturée par le froid et la faim, qu'elle avait affirmé être née en Alsace, d'où la guerre l'avait chassée.

« Sire, je vous le dis en toute vérité, ce matin-là, si nous ne l'avions réchauffée, elle était morte. Depuis, nous l'avons nourrie, la traitant comme une nièce. Nous avons voulu, par-dessus tout, qu'elle ne soit en rien tourmentée, qu'elle soit respectée. Apprenez qu'elle est sage et qu'il n'y a pas, dans le pays, de femme plus respectueuse. »

Ces paroles sont moult agréables au roi Pépin.

« Sire, dit alors Simon, par la foi que je vous dois, puisque vous êtes de la maisnie de notre roi, je vous reçois moult volontiers et entends, avec grand plaisir, votre voix. Dans toute mon existence, je n'ai éprouvé pareille satisfaction. Mais, encore une fois, pour vrai, nous ne savions rien de ce que vous avez vous-même conté. Est-elle reine de France ? Je suis tenté de croire le contraire. Elle est sage et sans malice ; pourquoi l'aurait-elle caché ?

— Simon, dit le roi, nous allons, vous, Constance et moi-même lui parler, si cela vous plaît.

— Je consens volontiers. Savez-vous ce que je proposerais ? Avec ma femme Constance nous lui parlerions face à face, tandis que vous-même resteriez caché derrière un rideau ; nous l'interrogerions sur le récit qu'elle vous a livré et vous, vous vous contenteriez d'écouter. »

Le roi répond que c'est la meilleure voie à suivre.

Simon va trouver Berte, la prend par la main, et Constance la conduit gentiment en sa chambre.

« Dame, dites-moi ce qu'est devenu celui qui me causa tant d'ennuis après mon départ de la chapelle, j'en suis encore toute bouleversée.

— Belle, il est parti ; je ne voudrais pas mentir, mais il nous a livré un secret dont nous avons grande joie. Pourquoi nous l'avoir caché ? mon cœur en souffre. »

Berte regarde vers le sol ; elle en a quelque honte.

Simon s'assied près d'elle ; elle reste muette, immobile.

« Berte, dit Simon, par le corps de saint Remi, cet

homme qui vient de partir nous a conté, ce dont je rends grâce à Dieu, que vous êtes la femme du roi Pépin, du bon roi tout-puissant. Cela nous cause de la peine que vous m'ayez caché cette nouvelle si longtemps. Je vous aurais mieux servie et plus honorée.

— Ma belle, dit Constance, ne mentez pas, nous attendons toute la vérité. »

Berte les entend, devient rouge, et répond avec vivacité :

« Dame, si j'étais reine de France, je l'aurais avoué au premier jour de mon arrivée.

— La vérité est que si j'avais parlé autrement à l'homme qui m'assaillit ce matin dans le bois feuillu, il ne m'eût pas épargnée et j'aurais perdu tout honneur et votre affection. Le mensonge m'a sauvée. Je lui ai dit que j'étais la femme du roi Pépin et la fille du roi Flore.

— Il y a peu de temps, j'avais entendu dire que, par trahison, la reine de France avait été assassinée dans une forêt.

— Je lui ai conté tout cela parce que je ne trouvais pas d'autre moyen de me défendre contre lui. La ruse a donné bon résultat. J'en remercie Dieu. »

Berte donne à Simon et à Constance tous les détails de son aventure, sans se douter, le moindre instant, que Pépin est derrière un rideau.

On la presse en vain de questions ; c'est en vain ; elle ne veut rien révéler, pour ne pas mettre contre elle et Dieu et Sainte Marie. Constance décide de la conduire dans la pièce voisine où se trouvaient ses deux filles, puis revient trouver Simon et le roi qui, lui, semble très ému.

« Sire, je vous l'avoue très simplement, dit Constance, je ne sais que penser, je suis bien troublée. Par ma foi, si elle était vraiment reine de France, pourquoi le cacher ? Ce serait folie. Après avoir si longuement interrogé Berte, je ne sais plus ce que je pourrais vous conter. »

Alors le roi n'est plus en joie, il se lève pour prendre congé de Constance.

Simon le conduit dans la direction du Mans. Pépin renonce à la chasse qui, à cette heure, n'a pas beaucoup d'intérêt pour lui.

A grande distance du manoir, Pépin interpelle Simon et lui dit : « Simon, il vous était difficile de me connaître ; pour vrai, je suis, devant Dieu, le roi de France. »

Simon, tout surpris, en a grande joie et bonheur et, par respect, se prosterne devant lui.

« Sire, lui dit-il, soyez le moult bienvenu. Malgré tout, je suis bien triste et bien malheureux de ne pas vous avoir connu plus tôt, parce que je vous aurais autrement honoré dans mon manoir.

— N'ayez pas d'inquiétude, dit le roi, je vous suis bien reconnaissant. »

Pépin s'entretint de longues heures avec Simon des faits et gestes de Berte aux grands pieds.

« Simon, quand nous arriverons en vue de la cité du Mans, il vous sera permis de rentrer dans votre manoir. Mais vous ne parlerez de cette histoire qu'à votre chère Constance. Mon cœur me dit que Berte est ma femme, je suis étonné qu'elle dise le contraire.

— Sire, il m'est difficile de croire que Berte est la reine que vous aimez tant. A-t-elle fait le vœu de cacher son origine et de la laisser ignorer à tout le monde ? Si oui, la femme la plus vertueuse du royaume ne violera jamais son serment, même pour l'or de dix cités.

— Simon, vous êtes de bon sens et vous dites vrai. Pour savoir si oui ou non j'ai été dupé par elle, j'enverrai un messager au roi Flore et à la reine Blanchefleur, qui leur annoncera que j'ai trouvé Berte dans un bois touffu. L'un des deux arrivera en France rapidement.

Cette nuit, ou même au plus tard demain matin, le messager partira pour la Hongrie.

— Vous me reverrez bientôt, le plus vite possible. Ne parlez, je vous en supplie, à personne de cette affaire. Vous saluerez de ma part votre femme Constance. Si vous m'aimez un peu, honorez, plus encore que par le passé, la dame que vous hébergez. »

Le roi a retrouvé une grande partie de sa maisnie. Sur son ordre, Simon reprend le chemin de son manoir. Le roi le recommande doucement à Jésus, le fils de Sainte Marie.

Simon rentre chez lui et conte toute l'affaire à sa femme Constance qui, toute en joie, embrasse plusieurs fois son cher mari.

Pépin envoie en Hongrie un messager. Flore et Blanchefleur partent pour la France ; ils retrouvent leur fille Berte dans la forêt du Mans.

A peine entré dans la cité du Mans, le roi descend de cheval, mande son chapelain particulier, et lui demande d'écrire un bref qu'il fait immédiatement sceller.

Le jour même, un messager chevauche rapidement vers la Hongrie. Que le Roi de Majesté le maintienne sur la bonne route ! Au départ, le roi lui annonce qu'il sera richement récompensé.

Pépin se rendit bientôt dans sa bonne ville de Paris avec le duc Namles et une suite nombreuse de chevaliers.

Le messager chevauche tant et tant qu'il arrive en Hongrie, où il trouve le roi Flore et la reine Blanchefleur.

A genoux devant les souverains, il leur remet le bref de son maître. Flore ouvre le bref et le lit de la première à la dernière ligne.

Tout bouleversé, s'adressant à la reine : « Ma douce amie, écoutez-moi bien. Il nous arrive de France une grande nouvelle dont vous remercierez, à genoux, le Dieu de Majesté et sa douce Mère. A bon droit, mon cœur est ivre de joie.

Le roi reprend la lecture et s'arrête aux moindres détails. Le roi Pépin, chassant dans la forêt du Mans, a rencontré une jeune fille. Il est absolument convaincu que c'est notre fille Berte ; il l'a laissée dans un manoir, en attendant notre arrivée. C'est à nous à la reconnaître formellement.

Le roi et la reine se regardent. Complètement bouleversés, ils ne se décident pas à prononcer le moindre mot. Puis, brusquement, le roi se met à pleurer et la reine tombe pâmée sur le sol.

Le roi, le premier, se ressaisit et prend dans ses bras sa chère et douce dame.

Quand la reine put parler, elle déclara qu'elle ne s'arrêterait pas plus d'une nuit, dans toute ville, sur la route de Paris, tant elle avait hâte de s'assurer que c'était bien sa fille, qu'elle pouvait la baiser sur la bouche : « Ne soyez pas étonnée, dit le roi, si je pars avec vous. Au point du jour, tous deux, nous nous mettrons en route. » La reine l'entend et le remercie.

Le roi se retire pour préparer le voyage du lendemain. Blanchefleur donne congé au messager qu'elle embrasse.

Le lendemain, au lever du jour, le roi est debout. Il groupe autour de la reine un grand nombre de hauts barons et tout un cortège se met en route.

Sur le chemin, on fait de courtes étapes pour arriver rapidement dans la capitale du royaume de France. Naturellement, le roi, la reine et toute la maisnie sont en grande joie.

Le roi Pépin reçut, avec tous honneurs, le noble roi de Hongrie, la reine, la meilleure dame qui fût au monde. Ils se rappelèrent ensemble maints souvenirs du passé.

« Bon roi Pépin, dit Blanchefleur, pour Dieu, le Roi de Majesté, hâtons-nous de partir pour le bois touffu.

— Madame, nous partirons demain de bon matin, s'il plaît à Dieu. »

Ils ne passèrent qu'une nuit au palais. Au repas du soir, la reine ne put ni manger, ni boire, à cause du grand amour qu'elle avait pour sa fille. Elle n'aura de joie que quand elle l'aura retrouvée et reconnue.

Simon, prévenu de l'arrivée de Pépin et de sa suite, part à sa rencontre. Il se prosterne devant lui. Le roi qui le regarde l'a vite reconnu ; il l'invite à se rendre en un endroit écarté.

« Sire, dit Simon, Blanchefleur est-elle arrivée ?

— Oui, répond le roi, mais elle est dans un tel trouble qu'elle n'a pu ni dormir, ni manger, ni boire ; elle ne connaîtra le bonheur que lorsqu'elle aura embrassé sa fille Berte. Pour vous-même, et tenez-le pour vrai, si c'est bien Berte que vous avez hébergée dans votre manoir, votre honneur en sera fortement accru.

— Sire, maintes fois, depuis votre départ, j'ai eu sur ce sujet nombreux entretiens avec elle. Mais, dès que je lui en parle, la couleur de son visage change, et elle ne veut plus me répondre ; son émotion est si forte qu'elle ne cesse de frissonner. Je le dis, en toute vérité, et l'affirmerai toujours : il n'y a pas sous le ciel de femme plus vertueuse qu'elle. »

Le roi entend ces paroles et en a moult ravissement.

« Simon, dit Pépin, nous sommes sur le chemin qui conduit au manoir. Dieu nous permette d'y trouver le bonheur que nous avons tant cherché et tant attendu. »

Pépin, qui a avec lui Simon, va retrouver Flore et Blanchefleur ; il les rencontre à la sortie de la cité du Mans.

On s'arrête à l'entrée de la maison.

Simon s'approche de Constance et lui demande : « Ma chère femme, par sainte charité, où se trouve en ce moment Berte ?

J'ai amené ici le roi Pépin, le roi Flore et la reine Blanchefleur, tous trois pleins de bonté et de douceur.

« Sire, répond très émue Constance, elle est dans sa chambre où elle travaille, avec acharnement, au drap de notre autel qu'elle a trouvé déchiré. »

Simon, qui a entendu les paroles de sa femme, appelle les trois souverains très émus et les conduit respectueusement dans la chambre, dont les portes étaient largement ouvertes.

Berte la Débonnaire s'y trouvait, les yeux fixés sur son ouvrage. En les voyant entrer, elle les regarde fixement. Puis, brusquement, elle se dresse, toute pâle, toute bouleversée ; elle reconnaît immédiatement la reine, sa douce mère, et se prosterne à ses pieds. Blanchefleur, terrassée par une trop grande joie, s'effondre sur le pavé de la chambre.

« Mon Dieu ! crie le roi Flore, Notre-Dame très honorée, venez à mon secours ! C'est bien Berte, ma fille adorée, qui est devant moi. Dieu, dans son infinie bonté, nous l'a enfin rendue. »

Il prend sa fille, qu'il avait tant désirée, et la tient si longtemps serrée dans ses bras, que Blanchefleur, qui s'était redressée, se précipite pour la lui arracher et la couvrir de caresses.

Les barons des deux maisnies s'associent à la grande joie de leurs souverains et poussent, à maintes reprises, des cris d'allégresse.

« Mon Dieu, dit Pépin, Dieu créateur, soyez remercié de tout le bonheur qui nous arrive. J'ai souffert pour vous une grande infortune, mais aujourd'hui tout est oublié. La joie que j'ai en ce moment est immense. Que la Vierge Marie, votre Mère, en soit louée et honorée ! »

La bonne nouvelle se répandit vite dans la cité du

Mans. Toute la maisnie du roi y courut, les cloches des églises et des monastères se mirent à sonner, comme aux jours de grandes fêtes.

Berte, en voyant devant elle sa mère, eut un tel saisissement qu'elle ne put prononcer la moindre parole.

Pépin qui, lui aussi, voulait faire éclater sa joie, vint devant Berte et lui dit : « Ma douce amie, parlez-moi, je suis votre mari ; mais, et je le jure devant le Roi de Majesté, je ne suis en rien coupable du grand malheur qui vous a accablée. »

Berte s'émerveille des paroles du roi et lui répond avec moult grande douceur : « Sire, si c'est bien vrai, j'en remercie Dieu, qui naquit de la Vierge à Bethléem. »

Blanchefleur et le roi Flore firent sentir à leur fille bien-aimée toute leur affection, plus que je ne saurais le dire. En somme, jamais dans le monde, il n'y eut autant de bonheur que dans le manoir de Simon.

Le roi tint à fêter ce grand événement. Il manda son sergent Henri, son maréchal Gautier, son chambellan Thierry : « Allez au plus vite au Mans, faites venir des tentes, c'est ma volonté. Par le corps de saint Remi, je resterai ici longtemps, parce que nulle part ailleurs je n'ai éprouvé pareille joie. Tâchez de bien vous pourvoir de toutes choses utiles ; nous avons à séjourner dans cette forêt. Faites venir le duc Namles. Pour tout cela, je vous prie et même vous commande. »

Ils s'en vont tous avec la ferme intention de faire ce que le roi avait commandé. Ils préparent tout. C'était un lundi.

Blanchefleur, elle aussi, ne sait comment manifester sa grande joie. Elle serre souvent dans ses bras la blonde Berte, celle que les Hongrois appelaient la Débonnaire.

Près de Berte, se tiennent et Simon, et Constance, et Isabelle, et Aiglante.

Berte dit alors : « Ma mère, par Dieu le Fils de Marie, voici la douce dame Constance, qui m'a longtemps nourrie ; voici son seigneur Simon. « Que Dieu le bénisse ! » qui me trouva dans la forêt. Sans lui, je serais morte ou dévorée. »

Le roi Pépin, Flore et Blanchefleur, assis dans la chambre voûtée, accueillent, de vrai cœur, et Simon, et Constance, et leurs filles, pour avoir, en sauvant la gentille reine Berte, permis un si grand bonheur.

Le roi Pépin, reconnaissant, distribue charges, honneurs et présents à Simon, Constance, à leurs fils et filles.

Dans la forêt du Mans, autour du manoir de Simon le voyer, les tentes et les pavillons furent dressés au milieu de l'enthousiasme ; les deux maisnies y séjournèrent trois jours, comme j'en ai reçu témoignage.

Le roi Pépin et Berte, qui reprit, auprès de lui, sa place de reine de France, reçurent grâces et bénédictions de Dieu, fils de Sainte Marie.

Comme je l'ai lu dans l'histoire de saint Denis, Berte eut une première fille, qui reçut le nom de Gille, et fut la mère du grand guerrier Roland ; plus tard, un fils, Charlemagne, grand souverain, plein de droiture.

Pour récompenser ceux à qui il devait toute sa joie, le roi fit équiper Simon et ses deux fils de manteaux de fin drap d'or, qui allaient parfaitement à leur taille ; il les arma tous trois chevaliers. Le duc Namles leur chaussa des éperons ; le roi ceignit à leur ceinture des épées d'acier, leur donna la colée, puis les embrassa. Simon reçut même la charge de maître conseiller.

Simon et ses deux fils, tous trois accablés d'honneurs, rendent grâces à Dieu, puis vont se prosterner devant le roi, et, pour le remercier, lui baisent, suivant la coutume, le pied et la jambe.

Le roi s'avance lui-même pour les redresser : « Simon, déclare-t-il, par le corps de saint Richier, je dois vous aimer, vous et votre dame Constance, vous tenir pour très chers, car vous m'avez donné une bien grande joie. »

On eût pu voir la reine Blanchefleur, souveraine au cœur tendre, étreindre Constance et ses deux filles, pleurer de joie ou de pitié.

Constance était une femme moult sage, de bonnes manières, moult vertueuse et charitable. Elle voit Simon et ses deux fils, tout heureux et fiers de porter, pour la première fois, des manteaux de fourrure fine et riche. Elle les voit, comme de vrais et bons chrétiens, rendre grâces à Dieu et à saint Vincent le baron.

« Seigneur Dieu, dit-elle, doux Roi, bon Juge, vous nous donnez plus d'honneurs que nous ne l'avons mérité. Je rends grâces à Notre-Dame, pleine de droiture ; nous n'étions que de simples et pauvres bruyères, et nous voilà belles et grandes prairies. Pour ceux à qui nous le devons, je ferai, pendant toute mon existence, s'il plaît à Dieu, maintes et bonnes prières. »

Je viens de vous conter que notre bon roi Pépin adouba chevaliers Simon et ses deux fils. Il ne s'arrêta pas là dans la voie de la reconnaissance. A chacun il fit un beau présent.

Il fit don à Simon de mille mesures de terres, à chacun de ses fils de cinq cents. Il annonça à Isabelle et à Aiglante qu'il donnerait, le jour de leur mariage, à chacune cinq cents livres par an. Simon, ses deux fils, Constance, ses deux filles, se mirent à genoux devant le roi pour le remercier. Le roi les releva et les embrassa.

Plus encore, ils entrèrent dans la maisnie royale. Le roi décida qu'ils auraient des armoiries. Les armes d'azur, drapées d'un peu de blanc, offriraient au centre une grande fleur de lys d'or ; le fils aîné les porterait à cinq lambels de gueule ; le lambel du cadet serait besanté d'argent.

Depuis, le lignage les porte et dans l'avenir les portera.

Après ces cérémonies, tous les barons quittèrent le manoir de Simon.

En quittant le pays, où elle avait vécu longtemps, huit ans et demi, comme on me l'a conté, la reine Berte versa beaucoup de larmes.

Dans le manoir, les valets et les servantes reçurent de Berte, du roi Pépin, de Flore et de Blanchefleur, de riches présents.

Au départ de Simon, de Constance, de leurs fils et de leurs filles, qui quittaient pour toujours le manoir, il y eut de véritables scènes de désespoir ; les gens de la maison poussaient des cris de désespoir ; les femmes frappaient des mains ou se tiraient les cheveux.

« Vous partez, douce dame Constance, disaient les serviteurs et les servantes, nous demandons au Dieu de gloire de vous rendre tout le bien que vous nous avez fait. »

Aux derniers moments de la séparation, Berte ne pouvait pas se consoler : « Constance, je ne puis pas me séparer de vous. Je vous supplie de m'accompagner en terre de France et de ne jamais m'abandonner. Donnez-moi vos filles ; je ne tiens pas à avoir de richesses si elles doivent rester dans la pauvreté. »

Un mardi matin, tout le monde quitta le manoir de Simon.

Le cortège royal fait son entrée dans la ville du Mans.

Les habitants de la ville du Mans vinrent joyeusement à la rencontre de la reine Berte, au corps gentil. A côté d'elle chevauchaient le roi Flore, le duc Namles,

et aussi la reine Blanchefleur, qui ne cessait de regarder sa fille avec moult grande joie.

Toutes les cloches de la cité se mirent à sonner bruyamment. On put voir s'avancer en bel ordre, en procession resplendissante de draps de soie et d'or, le clergé portant des châsses et des encensoirs d'or et d'argent.

Les dames et les chevaliers se pressaient, moult nombreux, sur les places et dans les rues, pour assister au passage de la reine Berte, qu'ils désiraient tant connaître.

Le cortège royal entra dans la cité du Mans. Les rues étaient moult superbement drapées ; sur le sol apparaissaient joncs, herbes et fleurs. Aux balcons des maisons, moult belles dames se montraient richement vêtues.

La reine Berte descend de cheval au perron d'un beau palais ; le duc Namles et les barons lui font escorte; elle tient la main de sa mère qu'elle aime avec grande douceur.

Il y eut dans la ville huit jours de belles et brillantes fêtes.

Paris réserve un accueil enthousiaste aux souverains de France et de Hongrie.

Dans tout le royaume, la nouvelle se répandit que la reine Berte avait été retrouvée. Partout, par des prières, on remercia Dieu, sa Mère, ses saints.

Les maisnies de France et de Hongrie quittèrent le Mans et se dirigèrent joyeusement vers la cité de Paris.

Les deux rois, les deux reines, Simon, ses fils et ses filles chevauchent tous en grande joie vers la capitale.

(La triste Aliste apprend, elle aussi, la grande nouvelle. Elle déplore tout le bien qui se fait autour du roi Pépin et de la reine Berte, les présents, les honneurs qui sont distribués à Simon et à tous les gens du manoir. Elle a aussi grande peur et angoisse. Dieu la punira de son horrible forfait.)

Dans toutes les villes que traverse la reine Berte, les gens viennent, en grande procession, la saluer et l'honorer. Mais, plus encore, des paysans, des artisans, des bourgeois, des barons qui, eux aussi, ont appris l'heureuse nouvelle, arrivent de toutes les régions du royaume à pied, à cheval, sur des chariots, pour se prosterner au passage de celle qui a été miraculeusement retrouvée.

Berte salue, courtoisement et gracieusement, tous ceux qui, nombreux, sont à genoux et en prières.

C'est par petites journées, et sans trop de hâte, que tout le cortège chevauche sur la route de Paris, au milieu des cris d'enthousiasme de la foule, qui trouve le temps d'admirer les nombreux clochers de la belle et grande ville ou d'applaudir les chansons des ménestrels et les tours des jongleurs. La gaîté est ainsi complète.

Le cortège a tant et tant chevauché qu'il peut enfin s'arrêter pour admirer les nombreux clochers de la grande et belle ville.

Paris s'était préparé à recevoir les rois. La ville était décorée, comme elle ne le fut jamais. Dans tous les quartiers, les évêques, les abbés, les moines, les frères se formaient en procession. Toute une population enthousiaste se disposait à saluer et à acclamer la reine. Berte, la reine de France, est entrée dans sa capitale ; une foule énorme l'a vue descendre solennellement la grande rue.

Elle s'arrête, descend de cheval au bas du perron du palais. Blanchefleur tremble d'émotion en voyant la grande joie de tout un peuple. Elle ne sait comment remercier le Dieu, qui fait courir les nuages dans le ciel, mais aussi sa douce et sainte Mère.

Dans Paris, il y eut huit jours de belles et brillantes fêtes, dont on parlera longtemps.

Pépin reçoit à Paris, et arme chevalier Morans, qui revient de la Croisade.

Au milieu de ces fêtes, on apprend un dimanche après-midi l'arrivée de Morans, qui revenait d'une expédition au-delà de la mer.

Il vint vers le roi Pépin pour le saluer. Il eut tant de joie de voir se confirmer la nouvelle, qu'on lui avait contée sur le chemin du retour, qu'il ne put d'abord lui adresser le moindre mot.

Il arriva pourtant à se ressaisir et à dire au roi Pépin : « Sire, Dieu me permettra de le remercier de vous avoir fait retrouver la dame, la reine au clair visage. Hélas ! je n'oserai me présenter devant elle, car je suis un des sergents, je ne puis le cacher, qui la conduisirent dans le bois, où son corps devait être torturé. »

Et Morans se mit à pleurer douloureusement.

Le roi le réconforte : « Morans, vous n'êtes pas à blâmer, parce que, comme je l'ai entendu conter, c'est grâce à vous qu'elle a pu prendre la fuite. »

Un messager va vite annoncer à la reine Berte l'arrivée de Morans. Elle ne veut pas attendre. Elle se précipite et, devant toute la Cour, va embrasser celui qui l'a sauvée.

« Sire, fait-elle, je vous demande une grande faveur : aimez bien Morans, faites-le armer chevalier et réservez-lui sur votre avoir une part si large qu'après lui ses héritiers ne souffrent jamais de la pauvreté. Sur les reliques des saints, je le jure, sans lui, j'étais morte.

« Le traître Tybert voulait me trancher la tête.

« Désormais, je mettrai toute ma confiance dans lui et dans Simon et me fierai entièrement à leurs conseils. »

Le roi ne peut rien refuser à la reine.

Il fait don à Morans de deux cents marcs par an.

Morans, homme sage et digne de louanges, vient baiser le pied du roi et se mettre à genoux devant la reine.

Le lendemain, le roi Pépin fit plus encore : il le fit armer chevalier. Blanchefleur et le roi Flore lui accordèrent de beaux présents.

Rappelant de tristes souvenirs, Berte dit : « Morans, j'eus grand' peur, quand je vis Tybert tirer son épée pour me trancher la tête. Si, comme ce criminel, vous aviez eu pour moi pensée amère, jamais je n'aurais revu ma douce et chère mère, ni le roi de France, ni mon père, le roi Flore. Mais je trouvai en vous un ami, loyal comme un frère. Dans l'avenir, je ne serai pas pour vous avare de récompenses.

— Dame, dit Morans, que Dieu, notre vrai Sauveur, vous sache gré de toutes vos bontés. »

Dans la cité de Paris, la joie fut grande. Pépin réserva tous honneurs à Blanchefleur et à Flore, pour lesquels il avait grande affection.

Après l'adoubement de Morans, le roi Flore ne resta qu'un mois dans le royaume.

Le roi Flore et la reine Blanchefleur repartent pour la Hongrie.

Je n'ai pas ici grand'place pour énumérer toutes les richesses qui furent attribuées aux souverains de Hongrie par le roi Pépin et la douce reine, pleine de bonté.

Un jeudi matin, ils entreprirent leur voyage de retour. Au départ de Paris, tous ceux qui avaient eu la joie de les voir et de les admirer les recommandèrent à Dieu.

Pépin et Berte les accompagnèrent jusqu'à Saint-Quentin, mais ils ne purent passer dans cette ville que deux jours.

C'est là que les souverains de Hongrie se séparèrent de leur fille, en la recommandant tout particulièrement à Dieu.

Les dernières heures furent cruelles.

Blanchefleur et Flore laissèrent leur fille, toute pâmée, sur la route.

Doucement, le roi Pépin la réconforta, tandis que les souverains de Hongrie s'éloignaient, versant des larmes.

Avant d'arriver dans leur royaume, ils durent traverser maintes terres étrangères.

Malgré les tristesses d'une cruelle séparation, ils apportaient à leur peuple une grande nouvelle, Berte retrouvée et proclamée, par tout un peuple, reine de France.

Une année après leur retour, Flore et Blanchefleur eurent une fille, qu'ils appelèrent Constance, en souvenir de celle qui avait gardé Berte dans l'épaisse forêt du Mans. Cette fille fut plus tard reine de Hongrie.

Le roi Flore, qui avait de moult belles pensées, et la reine Blanchefleur, bien digne de louanges, fondèrent, en leur pays hongrois, une abbaye pour l'amour de Berte, ramenée, après de longues années en danger de mort. Soixante moines entrèrent dans l'abbaye, qui porte encore le nom de Valberte.

Ici, je me séparerai du roi Flore et de Blanchefleur pour revenir à Pépin, au beau visage, et à Berte à qui Dieu réserve une belle destinée.

Après avoir quitté les souverains de Hongrie, Pépin et Berte rentrèrent, sans plus tarder, à Paris. Le roi aima et honora Simon et sa femme Constance. Il maria Isabelle et Aiglante et les dota de grandes richesses.

Le premier des enfants de Pépin et de Berte fut une fille, sage et de grande vertu, qui épousa Milon, homme de grande seigneurie. Ce fut la mère de Roland, qui fut hardi et plein de chevalerie.

Plus tard, Pépin eut un fils, Charlemagne, qui fit moult grandes expéditions contre les Sarrasins. Par lui, la loi de Dieu fut élevée très haut dans tout un empire.

Il guerroya de grand cœur, avec un bel élan, contre la

gent païenne, qui pousse encore aujourd'hui des cris de douleur et de désespoir en souvenir des terres ravagées par les soldats du grand empereur, des hauberts rompus, des lances brisées et des nombreux cadavres laissés sans sépulture sur les champs de bataille.

BIBLIOGRAPHIE

Aucassin et Nicolette

Mss : Bib. Nat., fr. 2168.

Aucassin et Nicolette. Révision du texte original, par Gaston Paris.

Michaut. Aucassin et Nicolette, Chantefable, en français moderne, illustrée, 1929.

Gaston Paris. Poèmes et Légendes du Moyen Age, 1900. *Romania VIII,* 254, XXIX 287.

Roques. Aucassin et Nicolette, Paris, 1929.

Suchier. Aucassin et Nicolette, Paderborn, 1905.

Berte aux grands pieds.

Mss : 3142 Bib. *Arsenal.*

Mss : Belles-Lettres (Miniatures, Cléomadès, Berte aux grands pieds). *Arsenal.*

Joseph Bédier. Les légendes épiques, 1914-1921.

Edmond Faral. Les jongleurs en France, 1914.

Léon Gautier. La chevalerie, 1890.
Les épopées françaises, 4 vol., 1878-1882.

Gaston Paris. La littérature française du Moyen Age, XIe-XIVe siècle, 1905.

Van Bovy. Adenet le Roi et son œuvre. Bruxelles, 1898.

Scheler. Les poèmes d'Adenet le Roi, d'après le manuscrit de l'Arsenal.

Paulin Paris. Le roman de Berte aux grands pieds, 1832.

Van Hasselt. Adenet, Cléomadès, 2 vol. Bruxelles, 1866.

ACHEVÉ D'IMPRIMER
LE 10 AVRIL 1968 SUR LES PRESSES
DE L'IMPRIMERIE OFFSET JEAN GROU-RADENEZ
27-29, RUE DE LA SABLIÈRE, A PARIS